Chinese for A-Level

by Xiaoming Zhang

CYPRESS BOOKS

Cypress Book Co. UK Ltd.

Chinese for A-Level (traditional Chinese character edition)

By Xiaoming Zhang

First published in Great Britain in 2007 by Cypress Book Co. UK Ltd.
13 Park Royal Metro Centre
Britannia Way
London NW10 7PA
02084530687
02084530709 (Fax)

Find us at www.cypressbooks.com

ISBN978-1-84570-020-1

Printed in Great Britain

In loving memory of my parents.

About the Author

Xiaoming Zhang has over twenty years of experience in teaching Chinese both in China and the UK. She has won many teaching awards as a lecturer in Chinese language and literature and her works have been published in both countries. She is the co-author of *Basic Chinese: A Grammar and Workbook* and *Intermediate Chinese: A Grammar and Workbook.*

She is currently teaching at Wycombe Abbey School.

Acknowledgements

I am grateful to the following people who have made this book possible:

My A-Level students throughout the years at Wycombe Abbey School, who have test run exercises included in this book, and provided much appreciated constructive feedback and encouragement.

Yunhong Wu, Catherine Heppell and Huanran Li for their candid and valuable suggestions.

My publisher, Cypress Book Co. UK Ltd, especially Zhansheng Xia and Xian Xu for their help and encouragement.

My husband and daughter for their constant support.

Edexcel Limited for their agreeing the use of past paper questions.

Introduction

Chinese for A-Level is primarily for students preparing to take Chinese at both AS and A2 level. It addresses comprehensively the new 2007 Edexcel specifications. The book is designed as a two-year course for most, however students with a more solid foundation can complete it in one.

Students intending to take the Chinese IB Exam and HSK (Mainland China) will also find this book valuable, as will university students in their third or fourth years.

The book is organised into 12 units and 10 special topic chapters. Each unit focuses on one theme and is broken down into three texts each with a variety of exercises. The exercises not only allow students to extend their Chinese skills, but also focus on tackling common pitfalls and mistakes. The 10 special topics focus on the more complex components of the exam, helping students improve their skills in translation, writing and analysis of literature.

Table of Contents

第一單元　　　短文一

"香蕉人"

有一個很形象的比喻，把海外華人的第二代子女比作是"香蕉人"。這些孩子＿＿＿＿長着一張東方人的臉，＿＿＿＿從小就跟隨父母定居海外，所以中文程度不高，思維模式也完全西化了，就像香蕉一樣外黃內白。

紐約的小楊説："我經常感覺自己生活在兩個世界之間：出家門説英語、吃漢堡包、看好萊塢電影；進家門説中文、吃中餐、看鳳凰電視臺節目。"

巴黎的小馬也提到：在家，父母努力維持中國的傳統習俗；在外，是完全不同的西方文化社會。

小田的家在柏林，她的丈夫是她媽媽從中國爲她找來的，年齡比她大兩歲。＿＿＿＿兩人郎才女貌，但是婚後兩人＿＿＿＿談不到一起、也吃不到一塊，據説主要原因是文化衝突。

最讓英國的麗麗感到尷尬的是，同學朋友向她請教衣服上的漢字。她是個BBC，出生在倫敦，＿＿＿＿不認識漢字，＿＿＿＿説中文都結結巴巴的。

不少"香蕉人"認爲他們心理上很難達到平衡的部分原因是他們被西方人視作"永遠的外國人"，因此而產生的苦惱與無奈，使他們覺得自己是迷失的一代。

真是這樣嗎？

專名：

紐約(Niǔyuē)	New York	巴黎(Bālí)	Paris
柏林(Bólín)	Berlin	倫敦(Lúndūn)	London
鳳凰電視臺(Fènghuángdiànshìtái)		Phoenix TV station	
好萊塢(Hǎoláiwù)	Hollywood		

生詞：

形象(xíngxiàng)	visualise	形象的比喻(bǐyù)	figurative comparison
程度(chéngdù)	level	思考(sīkǎo)	to think
方式(fāngshì)	way; style	漢堡包(hànbǎobāo)	hamburger
維持(wéichí)	maintain	習俗(xísú)	custom
社會(shèhuì)	society	郎才女貌(lángcáinǚmào)	perfect match
據說(jùshuō)	it is said	主要(zhǔyào)	mainly
衝突(chōngtū)	clash	尷尬(gāngà)	embarrassing
請教(qǐngjiào)	to consult	結結巴巴(jiējiebābā)	to stutter
心理(xīnlǐ)	psychological	平衡(pínghéng)	balance
苦惱(kǔnǎo)	worried	迷失(míshī)	to lose one's bearings
無奈(wúnài)	cannot help but		

3

練習

一 讀拼音，選字填詞

niúláng	wéihù	càitāng
牛___(朗／郎)	___護(維／誰)	___湯(菜／萊)

wàiguó	chéngbǎo	diànshì
___國(處／外)	城___(煲／堡)	電___(視／現)

fùshǒu	bǐyù	xiāngjiāo
___手(副／幅)	比___(偷／喻)	香___(焦／蕉)

二 參考上面的短文，寫出下列詞語的反義詞

暫時＿＿＿　　　　　　外＿＿＿　　　　　　易＿＿＿

愉快＿＿＿　　　　　　出＿＿＿　　　　　　矮＿＿＿

三 挑選正確的關聯詞，填到上面短文的空格內（注意：給的關聯詞多於需要的）

雖然……但……　　　　　　　　不僅……連……

儘管……卻……　　　　　　　　不管……還……

四 漢譯英

國際社會＿＿＿　　　　全球文化＿＿＿　　　　西方世界＿＿＿

維持傳統＿＿＿　　　　定居海外＿＿＿　　　　感到尷尬＿＿＿

五 把下面的被動句改變成“把”字句

1　海外華人的第二代被人們稱作“香蕉人”。

改寫：＿＿＿＿＿＿＿＿＿＿＿＿＿＿＿＿＿＿＿＿＿＿＿＿＿

2　喜愛中國文化的西方人被人們稱作“鷄蛋人”。

改寫：＿＿＿＿＿＿＿＿＿＿＿＿＿＿＿＿＿＿＿＿＿＿＿＿＿

3　他們被西方人視作“永遠的外國人”。

改寫：＿＿＿＿＿＿＿＿＿＿＿＿＿＿＿＿＿＿＿＿＿＿＿＿＿

六 根據短文內容，從A、B、C或D中選出正確的答案

“香蕉人”的意思是：　　　　　　　　　　　　（　　）

A　長着黃的皮膚，心裏卻是白的。

B　長着中國人的臉，卻不懂中文。

C　長着中國人的臉，卻是西方人的思考方式。

D　長着中國人的臉，卻在外國定居生活。

小田婚後和丈夫談不到一起，也吃不到一塊的意思是：　　（　　）

A　兩個人雖然結婚了，但是不喜歡在一起交談、吃飯。

B　兩個人雖然結婚了，但是互相不太了解。

C　兩個人雖然結婚了，但是性格不同。

D　兩個人雖然結婚了，但是關係不好。

BBC 在文中的意思：   (   )

A 出生在倫敦。   B 英國著名的廣播公司

C 出生在英國，卻不懂中文。   D 在英國出生的中國人

七 根據短文內容，回答下列問題

1 巴黎的小馬提到：在家，父母努力維持中國的傳統習俗；在外，是完全不同的西方文化社會，是爲了説明什麽？

2 英國的麗麗爲什麽感到尷尬？

3 "香蕉人"指的是哪些人？他們苦惱與無奈的原因是什麽？

八 課堂討論與寫作練習

1 A 如果你是海外出生長大的華人學生，你有没有"香蕉人"的苦惱與無奈？

1 B 如果你身邊有麗麗這樣的華人同學或朋友，你會怎麽看待她/他？

2 《"香蕉人"的故事》或者《"鷄蛋人"的故事》

第一單元　　短文二

外國教師眼中的中國留學生

"您對中國留學生的印象如何？"近日，在一次中國國際教育巡迴展上，一位晚報的記者採訪了英國和澳大利亞的大學代表。外國教師回答的第一句話都是"聰明、勤奮、努力"，但同時他們也指出，中國留學生仍然有不少地方需要改進和加強。

英國創造性藝術大學的教授表示，學習藝術設計和創作的學生們，應該從各個領域開始新的嘗試，不要只把時間花在課本上；另外，他們可以把中國文化和西方文化結合起來，而不是全盤西化。

"不少學生在考試前總是問老師，看什麼書對考試有幫助。"儘管知道這是中澳兩國教育的不同之處，墨爾本大學的老師對此還是十分驚訝，"也許在中國他們背書可以考出好成績，但在澳洲是行不通的。"

當英格蘭一所大學的教授在談到中國留學生愛整天在一塊兒時，他說："我們大學有來自120多個國家的學生，希望中國留學生能跟其他各國的留學生多多交流。"

有的教師還提出關於中國留學生不敢批評別人作品的問題。他指出，有時候批評他人作品其實是善於動腦、自主學習的表現，甚至是邁出有所創新的第一步。

中國留學生自己對以上的評論是怎麼想的呢？

專名：

澳大利亞(Àodàlìyà)	Australia	英格蘭(Yīnggélán)	England
墨爾本(Mòěrběn)	Melbourne		

生詞：

印象(yìnxiàng)	impression	巡迴(xúnhuí)	to tour
勤奮(qínfèn)	diligent	改進(gǎijìn)	improve
加強(jiāqiáng)	strengthen	領域(lǐngyù)	domain
全盤(quánpán)	complete	也許(yěxǔ)	maybe
行不通(xíngbùtōng)	won't do	西化(xīhuà)	westernised
背書(bèishū)	recite	驚訝(jīngyà)	surprise
交流(jiāoliú)	to communicate	教授(jiàoshòu)	professor
設計(shèjì)	to design	創造(chuàngzào)	creative work
不敢(bùgǎn)	dare not	作品(zuòpǐn)	works
善於(shànyú)	be good at	動腦(dòngnǎo)	to think
表現(biǎoxiàn)	display/way of	邁出(màichū)	head into
創新(chuàngxīn)	innovation	評論(pínglùn)	to comment on

練習

一 讀拼音，選字填空

gǎijìn
___進(改／教)

dòngnǎo
動___(惱／腦)

jiàoyù
教___(育／盲)

shànyú
善___(干／於)

màibù
___步(邁／邊)

jiàoshòu
教___(受／授)

quánpán
全___(盤／盆)

jǐnguǎn
盡___(菅／管)

二 從上面的短文中找出下列英文詞語的中文翻譯

interview_____ representative_____ independence_____

culture_____ to attempt_____ to criticize_____

三 連接下面的同義詞或近義詞

改善	驚訝	增強	加強
全部	改進	思考	創新
驚奇	仍然	革新	動腦
依然	全盤	期望	自主
可能	也許	獨立	希望

四 把下面的英文翻譯成以 "化" 字結尾的中文

例句：to beautify 美化

westernised_____   modernisation_____

urbanisation_____   greening_____

industrialisation_____   internationalisation_____

五 將下面的 "把" 字句改成被動句

例如：我把那本參考書丟了。

      那本參考書被我丟了。

A 學生把很多時間花在課本上。

改寫：_____

B 他們可以把中國文化和西方文化結合起來。

改寫：_____

六 根據英文解釋，參考短文中的有關句式，用下列關聯詞造句

儘管……還是……   though; even though; despite

造句：_____

雖然……但……   though; although

造句：_____

甚至……   even; so far as to

造句：_____

七 根據短文內容，在空格內打✓

	是	非	文字上沒有
1 外國教師認爲每個中國留學生都聰明、勤奮、努力。	___	___	___
2 外國教師認爲中國留學生花在課本上的時間太多。	___	___	___
3 外國教師認爲中國留學生應該學習西方所有的東西。	___	___	___
4 中國留學生總喜歡跟中國留學生在一起。	___	___	___
5 中澳兩國的教育不一樣。	___	___	___
6 在中國背書就可以有好成績。	___	___	___

八 根據短文內容，回答下列問題

1 中國留學生在哪些方面還需要改進和加強？

2 1）墨爾本大學的教師對什麼感到十分驚訝？

   2）爲什麼這位教師會感到驚訝？

3 爲什麼有的外國教師希望中國留學生要敢於批評別人的作品？

九 課堂討論與寫作練習

1 就外國老師對中國留學生的評論，談談你的看法？

2 《我眼中的外國教師》

第一單元　　**短文三**

西點軍校的華裔女狀元

　　美國著名的西點軍校在5月27日舉行了2006年度畢業典禮。取得全年級第一名的畢業生走上講臺，與前來參加典禮的美國總統布什握手，接受他的祝賀，並代表全體畢業生發表告別演說。

　　這名畢業生就是21歲的華裔女學生劉潔。她出生於美國，家住弗吉尼亞州，有兩個哥哥。父親劉偉超和母親舒瑞可是上世紀70年代從中國臺灣到美國的留學生。

　　小時候，當別的女孩吵着要芭比娃娃時，劉潔要的玩具是——"武器"，還吵着要迷你裙。

　　父母並不支持她上軍校，她就自己一手包辦所有的申請事項。在西點的4年中，她積極向上，毫無怨言。由於學習成績優異，領導才能出衆，她成爲杜魯門獎學金獲得者。該基金會爲她一年的研究生課程提供高達3萬美元的獎學金。

　　"我從來不是個外向的人，"劉潔這樣説自己。她還説，正是在西點軍校，她學會站起來，學會承擔責任："在這裏，你不僅要對自己負責任，還要對其他人負責任。"

　　畢業後，她將以軍事情報官員的身份前往英國劍橋大學讀碩士學位，學習政治思想與思想史。她計劃學成之後返回西點軍校任教。

專名：

西點軍校(Xīdiǎnjūnxiào)	West Point Military Academy
劉潔(Liújié)	人名
劍橋大學(Jiànqiáodàxué)	Cambridge University
舒瑞可(Shūruìkě)	人名
弗吉尼亞州(Fújíníyàzhōu)	West Virginia (a state in the United States of America)
芭比娃娃(Bābǐwáwá)	Barbie doll
劉偉超(Liúwěichāo)	人名
杜魯門(Dùlǔmén)	Truman (former American President)

生詞：

華裔(huáyì)	Chinese origin	畢業(bìyè)	to graduate
典禮(diǎnlǐ)	ceremony	發表(fābiǎo)	deliver
告別(gàobié)	say good-bye	演說(yǎnshuō)	speech
世紀(shìjì)	century	武器(wǔqì)	weapons
迷你裙(mínǐqún)	mini skirt	支持(zhīchí)	to support
一手包辦(yìshǒubāobàn)	do all by oneself	申請(shēnqǐng)	apply for
事項(shìxiàng)	matters	積極(jījí)	energetic，active
優異(yōuyì)	remarkable	出衆(chūzhòng)	outstanding
課程(kèchéng)	course	提供(tígōng)	to supply
獎學金(jiǎngxuéjīn)	scholarship	基金會(jījīnhuì)	foundation
外向(wàixiàng)	outgoing	情報(qíngbào)	intelligence
身份(shēnfèn)	status	政治(zhèngzhì)	politics
軍事(jūnshì)	military affairs	計劃(jìhuà)	plan
返回(fǎnhuí)	return		

狀元(zhuàngyuán)　1) Number One Scholar, title conferred on the one who came first in the highest imperial examination ; 2) the very best (in any field).

練習

一　讀拼音，選字填詞

xiángruì	chǎonào	huáyì
祥＿＿（瑞/端）	＿＿鬧（抄/吵）	華＿＿（裔/商）

wánjù	dùjuān	shuòshì
玩＿＿（具/直）	＿＿鵑（牡/杜）	＿＿士（頂/碩）

二 給下面加綫的多音字注上拼音

好<u>看</u>	成<u>爲</u>	學<u>會</u>
<u>看</u>護	<u>爲</u>了	<u>會</u>計
<u>大</u>夫	<u>長</u>大	<u>説</u>話
<u>大</u>會	<u>長</u>城	游<u>説</u>

三 在短文中找出下列英文的中文翻譯

officer_____   graduate_____

postgraduate_____   leader_____

master's degree_____   overseas student_____

president_____   parents_____

四 連接下列意思相同的中、英文詞組

承擔責任	take the good with the bad
接受祝賀	take responsibility
毫無怨言	receive congratulations
返回軍校	return to the military academy

五 注意加綫的詞語，將下面的中文句子翻譯成英文

1 由於學習成績優異，領導才能出衆，她獲得了杜魯門獎學金。

翻譯:_____

2 當別的女孩吵着要芭比娃娃時，劉潔要的玩具是"武器"。

翻譯:_____

3 在這裏，你不僅要對自己負責任，還要對其他人負責任。

翻譯:_____

六 根據短文内容，爲劉潔編寫小檔案

姓名	性別
年齡	國籍
祖籍	學歷
出生國	居住地

現任職務　　　　　　　　家庭成員

性格　　　　　　　　　　長處

七　根據短文內容，在正確的句子旁的括號內打上✓

A　劉潔的父母是中國移民。　　　　　　（　　）

B　劉潔從小就與眾不同。　　　　　　　（　　）

C　劉潔的父母同意她報考軍校。　　　　（　　）

D　劉潔在西點軍校是學生領導。　　　　（　　）

E　報考軍校的申請都是劉潔自己去辦的。（　　）

八　根據短文內容，回答下列問題

1　劉潔的父母叫什麼名字？他們為什麼去美國？

2　為什麼稱劉潔是狀元？

3　劉潔獲得的杜魯門獎學金是用來做什麼的？

4　劉潔去英國做什麼？她將來想做什麼工作？

九　課堂討論與寫作練習

1　你報考學校或選讀科目，是自己"一手包辦"還是父母"一手包辦"的？
談談兩者之間的長處與短處。

2　書信體作文：《請父母給我一點自由》

第二單元　短文一

北京的胡同和四合院

　　據專家考證，胡同二字起源於蒙古語，意思是"水井"。當年，有水井的地方就有人群居住。因此，胡同的本意應爲居民聚集之地。

　　北京的胡同最早出現於元代，最多時有6000多條，規劃相當整齊，胡同與胡同之間的距離大致相同。北京的道路，南北走向的一般爲街，相對較寬，因爲過去以走馬車爲主，所以也叫馬路。東西走向的一般爲胡同，相對較窄，以走人爲主，胡同兩邊一般都是四合院 。

　　北京的四合院作爲老北京人世代居住的主要建築形式，舉世聞名。北京的四合院所以有名，首先在於它的歷史悠久，自元代建都北京時，四合院就出現了。其次在于它的結構在中國傳統住宅建築中有典型性和代表性。最後，還因爲它雖爲民居建築，卻有着傳統文化的內涵。四合，是指院內東、南、西、北四面都有房子，院落寬敞、布局合理，使人有雅靜舒服的感覺。

　　四合院通常是一大家子人居住，按照中國家庭長幼有序，男女有別的傳統安排住房，做到人人都有一定的私人空間。家長在屋門口一招呼，全家大小可以馬上到院子裏集合。人們在院子裏一般會種植一些果樹和花草來點綴灰色的房屋，尤其喜歡爬滿藤葉的葡萄架，在夏日裏能給人們帶來一片綠蔭，幾分涼意。

　　胡同和四合院是北京城市建築的靈魂，體現着這座國際化大都市的個性，傳承着悠久的民俗文化。國內外的人們都期盼着這些中國古人精心建造出來的民居能够代代保存下去。

專名：

蒙古(Měnggǔ)　　　　Mongolia　　　　元代(Yuándài)Yuan Dynasty (1206-1368)

生詞：

考證(kǎozhèng)	textual research	起源(qǐyuán)	the origin
規劃(guīhuà)	planning	相當(xiāngdāng)	very, quite
住宅(zhùzhái)	residence	內涵(nèihán)	has its own meaning
布局(bùjú)	layout	雅靜(yǎjìng)	serene
有序(yǒuxù)	in order	通常(tōngcháng)	common
私人(sīrén)	private	空間(kōngjiān)	space
距離(jùlí)	distance	窄(zhǎi)	narrow
寬敞(kuānchǎng)	spaciousness	招呼(zhāohū)	call together
種植(zhòngzhí)	to plant	點綴(diǎnzhuì)	to embellish
爬(pá)	to climb	藤(téng)	ivy
綠蔭(lùyīn)	green shade	靈魂(línghún)	soul
體現(tǐxiàn)	embody	精心(jīngxīn)	meticulous

練習

一 讀拼音寫漢字

(yuán)	(mín)	(hán)	(yǎ)
水＿＿	居＿＿	內＿＿	＿＿靜

(jǐng)	(zhù)	(róng)	(níng)
水＿＿	居＿＿	內＿＿	＿＿靜

(jiā)	(zhǎi)	(téng)	(sú)
＿＿長	狹＿＿	＿＿葉	民＿＿

(yòu)	(ài)	(lǜ)	(jū)
長＿＿	狹＿＿	＿＿葉	民＿＿

二 從上面短文中找出下列詞語的同義詞或近義詞

聚合＿＿＿＿	大約＿＿＿＿	寬闊＿＿＿＿
舒適＿＿＿＿	著名＿＿＿＿	幽靜＿＿＿＿
涼爽＿＿＿＿	期望＿＿＿＿	裝飾＿＿＿＿

15

三 選擇恰當的詞填入下列句子中

私人　精心　點綴　靈魂　考證　綠蔭　起源

1 媽媽（　　　　）地做了一個蛋糕，還用新鮮的水果來（　　　　）。

2 現在的年輕人期望有更多的（　　　　）空間和時間。

3 夏天坐在四合院的葡萄架的（　　　　）下真涼快。

4 民俗是每個民族傳統文化中的（　　　　）。

5 據（　　　　），深受人們喜愛的足球運動（　　　　）於中國。

四 選擇正確的量詞填空

顆　　棵　　瓶　　碗　　杯　　片　　分　　個　　輛　　塊　　條　　匹

兩（　　）馬車　　　　四（　　）白馬　　　　一（　　）馬路

兩（　　）葡萄　　　　四（　　）葡萄架　　　幾（　　）葡萄酒

兩（　　）綠玉　　　　四（　　）綠樹　　　　一（　　）綠蔭

兩（　　）涼水　　　　四（　　）涼面　　　　幾（　　）涼意

五 參照下列句子，用粗體的詞語造句

1 東西走向的一般爲胡同，相對較窄，**以走人爲**主。

造句：＿＿＿＿＿＿＿＿＿＿＿＿＿＿＿＿＿＿＿＿＿＿＿＿＿

2 北京的四合院**作爲**老北京人世代居住的主要建築形式，舉世聞名。

造句：＿＿＿＿＿＿＿＿＿＿＿＿＿＿＿＿＿＿＿＿＿＿＿＿＿

3 四合院**雖**爲民居建築，**却**有着傳統文化的内涵。

造句：＿＿＿＿＿＿＿＿＿＿＿＿＿＿＿＿＿＿＿＿＿＿＿＿＿

六 將下列英文翻譯成以“性”字結尾的中文

例如：essentiality 重要性

　　typicality＿＿＿＿＿　　　　representativeness＿＿＿＿＿

　　individuality＿＿＿＿＿　　　commonness＿＿＿＿＿

　　artistry＿＿＿＿＿　　　　　humanity＿＿＿＿＿

七 閱讀短文，按照例子把左邊的詞語和右邊的定義搭配起來

（注意：所給的定義比詞語多）

詞語　　　　　　　　　　　　　　　定義

例子：内涵　第10行　　　　（A）　　A 概念的内容。

1 起源　第1行　　　＿＿＿　　　　B 修建首都

2 建都　第8行　　　＿＿＿　　　　C 建立國都

3 傳承　第16行　　＿＿＿　　　　D 由上代傳到下一代

4 民俗　第17行　　＿＿＿　　　　E 事物發生的根源

　　　　　　　　　　　　　　　　　F 百姓的風俗習慣

　　　　　　　　　　　　　　　　　G 百姓庸俗的習慣

八 根據短文内容，回答下列問題

1 請談談馬路和胡同這兩個詞語的起源。

2 爲什麼我們把老北京人世代居住的主要建築叫做"四合院"？

3 北京的四合院爲什麼舉世聞名？

4 爲什麼國内外的人們都期盼四合院這種民居能够代代保存下去？

九 課堂討論與寫作練習

1 從北京、上海、廣州、香港或臺北這五個城市中選擇一個，談談該城市的傳統民居在國際化進程中受到怎麼樣的影響。

2 世界上哪個城市的民居給你留下了深刻的印象？請圍繞該城市的民居特色作介紹：題爲《 XX城市印象》

第二單元　　短文二

城市化有感

城市化是指人口不斷向城市聚集，城市數量不斷增多，規模不斷擴大的現象，是工業革命和商業革命共同作用之下的歷史進程。

隨着中國經濟的飛速發展，各地開始大規模地建設現代化城市。中國的城市化進程受到全球的關注，同時也出現了很多讓人擔心的問題。一些規劃者貪大求全，不管城市的大小，盲目學習外國，把城市發展引入歧途。

以前，中國的城市不論大小都很有特色。北京有胡同、四合院；上海有弄堂、石庫門；蘇州有前街後河的小橋流水人家……可現在，無論你去哪個城市，都可以看到高樓大廈如雨後春筍，加上類似的景觀大道、中心廣場、城市雕塑等，所有的城市看上去都差不多，中國城市文化的多樣性正在慢慢消失。同時，各種各樣的城市病出現了：農田的減少、老城的破壞、交通的擁擠、住房的昂貴，噪音、燈光以及空氣的綜合污染……

實際上，100年前，美國在城市化進程中已經出現過這樣的問題，我們不應該再走美國走過的彎路。當今世界的城市設計規劃更尊重傳統、尊重自然、尊重人性。有人提出，我們應該吸取發達國家城市化進程中的經驗和教訓，要建設好有中國特色的城市。有建築學家說，從每一個建築物上都會反映出當時的技術水平，並在上面留下一個地域、一個時代的烙印。

城市規劃應該根據各地的自然條件，保留本地的傳統文化，確定合理的目標，給我們和後代建設出一個既有個性又適合人類居住的綠色城市。

生詞：

聚集(jùjí)	to gather	數量(shùliàng)	quantity
經濟(jīngjì)	economy	規模(guīmó)	scale
現象(xiànxiàng)	phenomenon	革命(gémìng)	revolution
進程(jìnchéng)	course	關注(guānzhù)	to pay attention to
規劃(guīhuà)	planning	盲目(mángmù)	blindness
歧途(qítú)	wrong way	擁擠(yōngjǐ)	crowded
類似(lèisì)	be similar	噪音(zàoyīn)	noise
破壞(pòhuài)	destroy	綜合(zōnghé)	multiple/mixture
胡同(hútòng)	lane	弄堂(lòngtáng)	alley
特色(tèsè)	special feature	景觀(jǐngguān)	sight
雕塑(diāosù)	sculpture	多樣性(duōyàngxìng)	variety
吸取(xīqǔ)	to draw a lesson from	彎路(wānlù)	detours
經驗(jīngyàn)	experience	教訓(jiàoxun)	lesson
水平(shuǐpíng)	level	地域(dìyù)	region
烙印(làoyìn)	brand	合理(hélǐ)	reasonable
個性(gèxìng)	individuality	適合(shìhé)	to suit
四合院(sìhéyuàn)	a compound with houses around a square courtyard		
石庫門(shíkùmén)	popular architectural style in Shanghai –1920-1930		

練習

一 辨別下列的形似字，并組詞

噪_____	歷_____	壞_____	每_____
躁_____	厲_____	環_____	母_____
各_____	橋_____	盲_____	既_____
名_____	僑_____	育_____	即_____

二 讀英語，并從所給的中文詞語中找出意思對應的翻譯

貪大求全(tāndàqiúquán)　　　　　　雨後春筍(yǔhòuchūnsǔn)

高樓大廈(gāolóudàshà)　　　　　　景觀大道(jǐngguāndàdào)

to mushroom like bamboo shoots after rain_____

boulevard_____

to aim too high but care nothing about the fundamentals_____

skyscraper_____

三　參考上面的短文，寫出下列詞語的反義詞

縮小——	便宜——	共性——	落後——
增加——	分散——	出現——	人工——
緩慢——	放心——	正路——	破壞——

四　漢譯英

污染——	消失——	昂貴——	交通——
工業——	農業——	商業——	學業——

五　選擇恰當的關聯詞填空

A 不管……還是……　　　　　B 不但……而且……
C 既……又……　　　　　　　D 無論……都……

1　一個城市（　　　　）建多少高樓大廈，（　　　　）要保留好本地域的文化和傳統。

2　希望我們的城市（　　　　）適宜人類居住，（　　　　）擁有自己的個性。

3　人口不斷向城市聚集，使得（　　　　）是城市數量還是城市規模（　　　　）出現不斷擴大的現象。

4　現在很多城市（　　　　）看上去差不多，（　　　　）城市文化的多樣性正在慢慢消失。

六　下列句子運用了什麼修辭手法？

1　高樓大廈如雨後春筍。

2　當今世界的城市景觀設計規劃更講究尊重傳統、尊重自然、尊重人性。

3　從每一個建築物上都會反映出當時的技術水平，並在上面留下一個地域、一個時代的烙印。

七 閱讀短文，按照例子，判斷下面的句子 "對" 或 "錯"，并從文中找出其理由

例子：中國出現大規模的現代化城市建設，是因爲大家都想做城裏人。　　對　錯
　　　　　　　　　　　　　　　　　　　　　　　　　　　　　　　　　　　✓

原因：隨着中國經濟的飛速發展，各地開始大規模地建設現代化城市。

1　城市病之一的污染問題是由多方面造成的。　　　　　　　　　　對　錯
原因：

2　把城市發展引入錯誤的方向是建築學家的問題。　　　　　　　　對　錯
原因：

3　美國在百年前的城市化進程中也出現過各種各樣的 "城市病"。　對　錯
原因：

4　中國正在失去城市文化的多樣性，是因爲城市沒有了自己的特色。　對　錯
原因：

八 課堂討論與寫作練習
1　什麼是城市化？什麼是 "城市病"？是不是城市化進程中的 "城市病" 是不可避免的？爲什麼？
2　《我給 "城市病" 的藥方》或者《論 "城市化"》

第二單元　　短文三

客家土樓

上世紀六、七十年代，美國的衛星對中國進行偵察拍攝時，發現在閩西的山嶺中有很多大型建築，他們爲此而驚恐---這些建築是否是中國重要的武器發射基地？直到中美建交，美國人才得知這是客家典型的民居土樓。

居住在中原的漢人，在西晉後的1500年間，爲躲避戰亂、饑荒，先後五次大遷移到閩、贛、粵地區。爲了表示跟當地人不同，他們自稱是客家人。客家人南遷時，帶來了北方的生土建築技術。爲了使土牆更加堅固，他們在牆中間添加竹枝、木條、碎石等，有的還在沙土中混和糯米飯甚至雞蛋清。客家土樓有圓、方、五角、八卦形等多種樣式。土樓裏面儲存糧食、飼養牲畜、挖掘水井，本姓本族聚居。如有外敵入侵，大門一關，土樓便具有很強的防禦能力。土樓除了有安全防衛功能外，還可以防風、防震、防火、防潮。

中國現存的土樓中以位於福建永定的客家土樓最爲著名，被聯合國教科文組織的世界遺産評審專家稱贊爲"世界上獨一無二的、神話般的山區建築模式"、"神秘的東方古城堡"。這些土樓外部是圓形的。樓中心是方形的祖宗祠堂。外圓內方，體現了華夏祖先天圓地方的觀念。古人敬天，也就崇拜"圓"，認爲"圓"有無窮的神力。在炎黃子孫的意識裏，"圓"有和合團圓的意思，所以很多客家人以圓形來祈求萬事和合，子孫團圓。這些風格獨特、歷史悠久、規模宏大的土樓堪稱"天下第一樓"。

天下有多少宏偉的建築如今都成了古跡，唯有客家人至今還居住在土樓中。客家人爲人類留下了活的歷史，客家人在世界建築史上寫下了光輝的一頁。

專名：

閩(Mǐn)	福建省的簡稱
贛(Gàn)	江西省的簡稱
粵(Yuè)	廣東省的簡稱
永定(Yǒngdìng)	地方名
西晉(Xījìn)	朝代(West Jin，265-420BC)
聯合國(Liánhéguó)	UN

生詞：

偵察(zhēnchá)	to reconnoitre	拍攝(pāishè)	to photo，to shoot
發射(fāshè)	to launch	基地(jīdì)	military base
建交(jiànjiāo)	to establish diplomatic relations		
遷移(qiānyí)	migrate	挖掘(wājué)	to dig
堆積(duījī)	to stack	飼養(sìyǎng)	to rear
牲畜(shēngchù)	livestock	防禦(fángyù)	to defend
功能(gōngnéng)	function	防震(fángzhèn)	anti-earthquake
防潮(fángcháo)	anti-damp	組織(zǔzhī)	organisation
遺產(yíchǎn)	heritage	模式(móshì)	model
祠堂(cítáng)	shrine	神力(shénlì)	god's strength
崇拜(chóngbài)	to worship	意識(yìshí)	consciousness
宏偉(hóngwěi)	grand	堪稱(kānchēng)	be able to be called
祈求(qíqiú)	to pray for		

23

練習

一 讀拼音寫漢字

kǒng	nuò	yǎng	chù	jué
驚__	__米	飼__	牲__	挖__

yù	zhèn	cháo	shěn	hóng
防__	防__	防__	評__	__大

mì	huī	huāng	guà	tè
神__	光__	饑__	八__	獨__

二 在上面短文中，找出下列英文詞語的中文翻譯

satellite＿＿＿＿　　　　discovery＿＿＿＿　　　　famine＿＿＿＿

castle＿＿＿＿　　　　　unique＿＿＿＿　　　　　terrified＿＿＿＿

strong＿＿＿＿　　　　　secure＿＿＿＿　　　　　long in time＿＿＿＿

mystery＿＿＿＿　　　　chaos caused by war＿＿＿＿　　review＿＿＿＿

heritage＿＿＿＿　　　　well＿＿＿＿　　　　　　food＿＿＿＿

三 從括號內選出下列詞語在上面短文中的意思

世紀（百年／千年）　　　　　祖宗（祖先／祖父）

本族（本民族／本家族）　　　唯有（只有／沒有）

防禦（防守／防止）　　　　　華夏（夏天／中國）

四 漢譯英

方形＿＿＿＿　　　　　五角形＿＿＿＿　　　　長方形＿＿＿＿

圓形＿＿＿＿　　　　　三角形＿＿＿＿　　　　八卦形＿＿＿＿

五 根據短文內容，從A、B、C或D中選出正確的答案

1 建土樓時在沙土中混和糯米飯甚至雞蛋清，説明客家人知道：（　　）

A 土樓裏堆積的糧食和雞蛋吃不完。

B 這是建土樓必要的材料。

C 這能加強土墻的牢度。

D 這是北方的生土建築技術。

2 永定客家土樓被稱作"天下第一樓"是因爲：（　　）

A 這土樓是世界上獨一無二的建築模式。

B 這土樓風格獨特、歷史悠久、規模宏大。

C 這土樓是神秘的東方古城堡。

D 這土樓體現了華夏祖先天圓地方的觀念。

24

六 根據短文內容，回答下列問題

1 美國人發現在閩西的崇山峻嶺中有很多大型建築，爲什麼會驚恐？

2 客家人是從哪兒遷移到哪兒的？他們爲什麼要遷移？

3 客家土樓具有哪些功能？

4 古人爲什麼崇拜“圓”？很多客家人把土樓建成圓形是爲了什麼？

5 爲什麼客家人的土樓被稱爲“活的歷史”？

七 課堂討論與寫作練習

1 調查收集有關北京、上海、廣州、香港或臺北傳統民居的資料，然後分組介紹並討論這些民居建築的特點及其所反映的文化。

2 《我理想的住房》

第三單元　　短文一

民族魂

　　1936年10月19日，五四新文化運動的旗手和靈魂——魯迅先生因肺結核病在上海逝世。各界人士自發爲他舉行了隆重的悼念活動。民眾代表在其靈柩上覆蓋上寫有"民族魂"大字的旗幟。

　　魯迅，原名周樟壽，1881年9月25日出生於江南名鎮浙江紹興。12歲到17歲在紹興的三味書屋學習。紹興的風土人情、外婆家的鄉村生活，給魯迅留下了深刻的印象，同時也給他提供了豐富的寫作素材。1898年，魯迅去南京江南水師學堂求學，同年改名爲周樹人。

　　1904年魯迅抱着醫學救國的熱情東渡日本，去仙臺醫學專科學校留學，希望能够拯救似他父親那樣被庸醫誤診的病人。當他從新聞片中看到中國人被日寇砍頭示衆，周圍卻擠滿了看到同胞被害而麻木不仁的人群的情景後，内心受到極大的震動，他覺得"凡是愚弱的國民，即使體格如何健全，如何茁壯，也只能做毫無意義的示衆材料和看客，病死多少也不必以爲不幸的"。他毅然弃醫從文，立志用文學來拯救國人的靈魂。1906年3月，魯迅從學校退學。

　　1909年他回國後，曾在北京女師大、北京大學、厦門大學等高校任教。1918年5月，他首次用魯迅作爲筆名，發表了中國現代文學史上第一篇白話文小説《狂人日記》，對吃人的封建制度進行了深刻的抨擊。

　　1927年10月魯迅移居上海。同年，瑞典學者赫定要提名魯迅爲諾貝爾文學獎獲獎者，但被魯迅拒絶了。魯迅覺得中國實在還没有可得這個獎項的人。

　　魯迅一生除了創作了大量的文學作品，如小説集《彷徨》、《呐喊》，散文集《野草》以及大量的雜文外，他還是中國版畫的發起人。他的文筆犀利、思想深刻，是中國新文學的奠基人。其代表作《阿Q正傳》，對中國人的國民性進行了入木三分的刻畫，對中國社會的弊端予以了深刻的批判。

　　魯迅先生現長眠於上海虹口公園的一角。整整70年過去了，仍然經常有人來敬獻花籃，"民族魂"依然活在一個偉大的民族心中，受到中外人民的敬仰。

專名：

瑞典(Ruìdiǎn)	Sweden
仙臺(Xiāntái)	地名，在日本
紹興(Shàoxīng)	地名，在浙江(zhèjiāng)省
虹口(Hóngkǒu)	地名，在上海
周樟壽(Zhōuzhāngshòu)	人名
赫定(Hèdìng)	人名
厦門大學(Xiàméndàxué)	Xiamen University
諾貝爾(Nuòbèi'ěr)	人名，Nobel
《彷徨(Pánghuáng)》	書名
《呐喊(Nàhǎn)》	書名
《阿(ā)Q 正傳(Zhèngzhuàn)》	書名
《野草(Yěcǎo)》	書名

生詞：

旗手(qíshǒu)	standard-bearer	肺結核(fèijiéhé)	TB
隆重(lóngzhòng)	grand	悼念(dàoniàn)	mourn for
靈柩(língjiù)	coffin	覆蓋(fùgài)	cover with
旗幟(qízhì)	banner	人情(rénqíng)	human relationship
風土(fēngtǔ)	custom	印象(yìnxiàng)	impression
素材(sùcái)	material	拯救(zhěngjiù)	to save
庸醫(yōngyī)	quack doctor	誤診(wùzhěn)	misdiagnosed
日寇(rìkòu)	Japanese invader	示衆(shìzhòng)	public derision
擠滿(jǐmǎn)	to be packed with	同胞(tóngbāo)	compatriot
麻木不仁(mámùbùrén)	be callous to	震動(zhèndòng)	tremor
茁壯(zhuózhuàng)	sturdy	愚弱(yúruò)	foolish and weak
毅然(yìrán)	take upon oneself	白話文(báihuàwén)	writing in the vernacular
封建(fēngjiàn)	feudalism	制度(zhìdù)	system
抨擊(pēngjī)	attack	彷徨(pánghuáng)	to hesitate
呐喊(nàhǎn)	to shout	版畫(bǎnhuà)	print from engraved plate
犀利(xīlì)	sharp	弊端(bìduān)	corrupt practice
批判(pīpàn)	censure	奠基(diànjī)	to lay a foundation
敬仰(jìngyǎng)	to admire		

27

練習

一 讀拼音，選字填詞

qízhì 旗＿＿（幟／織）	cáiliào 材＿＿（料／科）	dàoniàn ＿＿念（悼／掉）
língjiù 靈＿＿（柩／框）	fùgài ＿＿蓋（覆／履）	yìnxiàng ＿＿象（映／印）
dùhǎi ＿＿海（度／渡）	zhěngjiù ＿＿救（拯／診）	pēngjī ＿＿擊（抨／評）
kǎntóu ＿＿頭（坎／砍）	shēnkè 深＿＿（刻／該）	chángmián 長＿＿（眠／抿）
huālán 花＿＿（藍／籃）	zhuózhuàng 茁＿＿（壯／狀）	bǎnhuà ＿＿畫（版／板）

二 英譯漢

novel＿＿＿＿＿　　　　prose＿＿＿＿＿　　　　poetry＿＿＿＿＿

essay＿＿＿＿＿　　　　literature＿＿＿＿＿　　　　culture＿＿＿＿＿

三 把下面的"被"字句改寫成"把"字句

例句：中國人被日寇砍頭示衆。

改寫：日寇把中國人砍頭示衆。

1 他父親被庸醫誤診了。

改寫：＿＿＿＿＿＿＿＿＿＿＿＿＿＿＿＿＿＿＿＿＿＿＿＿＿

2 中國國民性被魯迅刻畫得入木三分。

改寫：＿＿＿＿＿＿＿＿＿＿＿＿＿＿＿＿＿＿＿＿＿＿＿＿＿

四 把左邊的詞語和右邊的定義搭配起來（注意：所給的定義比詞語多）

詞語　　　　　　　　　　定義

1 入木三分 ＿＿＿　　　A 比喻事情已成定局。

2 麻木不仁 ＿＿＿　　　B 比喻分析問題很深刻。

3 弃醫從文 ＿＿＿　　　C 比喻對外界事物反應很慢或毫不關心。

　　　　　　　　　　　　D 放弃醫學而從事文學。

　　　　　　　　　　　　E 丟了醫學跟着文人走。

五 根據短文內容，爲魯迅編寫小檔案

原名　　　　　　　　　　性別

曾用名　　　　　　　　　筆名

出生日期　　　　　　　　出生地點

逝世日期　　　　　　　　死亡原因

安葬地點　　　　　　　　求學及工作經歷

主要成就

六 根據短文內容，從 A、B、C 或 D 中選出正確的答案

1 魯迅弃醫從文的原因是：　　　　　　　　　（　　）

A 醫學成績不好，被學校退學。

B 中國人體格健全、茁壯，不需要很多醫生。

C 中國人太多，病死多少也不必以爲不幸的。

D 要用文學來拯救國人的靈魂。

2 魯迅拒絕諾貝爾文學獎提名，是因爲：　　　（　　）

A 中國人的謙虛。

B 中國離瑞典的距離太遠。

C 中國人的文學水平還不够。

D 中國有其他人可得這個獎項。

七 課堂討論與寫作練習

1 魯迅弃醫從文爲拯救國人的靈魂，你認爲文學有這樣大的作用嗎？爲什麼？

2 《對我影響最大的一本書》

第三單元 短文二

金庸和他的武俠小説

中國的武俠小説具有鮮明的中國特色，就像漢字、國畫、京劇一樣，一看就知道是中國的。首先，武俠小説在語言上有古典漢語的特色，在打鬥上有一套專門的術語。不僅如此，武俠小説中有着許多稱謂、禮儀、禁忌等民俗的東西，也都帶着濃郁的中國色彩。

只要一提起武俠小説，大家都會想到金庸。金庸原名查良鏞，後將鏞字拆開爲筆名。他出生於浙江海寧，清朝的康熙皇帝曾稱查家是 "唐宋以來巨族，江南有數人家"。

從1955年發表《書劍恩仇録》，到1972出版《鹿鼎記》後封筆，金庸共創作了武俠小説15部36册。

金庸小説的開頭特別吸引人，讀者只要看了開頭，大多會手不釋卷。人們通常認爲武俠小説就是寫打鬥，書中人物只知道打打殺殺，事實上，金庸筆下很多俠客感情都很豐富，作者把他們的情寫得非常生動。那些兩小無猜的純情，生死不渝的痴情，情同手足的友情等，都深深感動着讀者。

金庸很有想像力，讀者可以隨着他的描寫和叙述，與小説裏的人物一起去海外荒涼的小島，景色奇特的北國沙漠以及風光秀麗的江南水鄉。他的小説帶給讀者一種真實感。

他小説中的人物被塑造得栩栩如生。小説裏的不少人物是依靠頑强的毅力，寬廣的胸懷，正直的品質，在逆境中奮鬥，最後得到成功。這就是爲什麽他的小説常顯示出人性的尊嚴。

金庸學識淵博，思想深刻，所以他的小説雅俗共賞，讀者達3億人之多。金庸是寫武俠小説的天下第一人。

專名：

查良鏞(Liángyōng)	人名，此處"查"讀(zhā)
海寧(Hǎiníng)	地名，在浙江省
康熙(Kāngxī)	1662-1723年間的皇帝稱號
《鹿鼎記(Lùdǐngjì)》	書名
《書劍恩仇錄(Shūjiànēnchóulù)》	書名

生詞：

武俠小説(wǔxiáxiǎoshuō)	swordsman fiction	打鬥(dǎdòu)	combating
術語(shùyǔ)	technical terms	稱謂(chēngwèi)	title
禮儀(lǐyí)	etiquette	皇帝(huángdì)	emperor
禁忌(jìnjì)	taboo	濃郁(nóngyù)	rich; strong
發表(fābiǎo)	publish	鼎(dǐng)	an ancient cooking vessel
劍(jiàn)	sword	俠客(xiákè)	knight-errant
描寫(miáoxiě)	describe	叙述(xùshù)	narrate
島(dǎo)	island	沙漠(shāmò)	desert
頑強(wánqiáng)	indomitable	毅力(yìlì)	will-power
品質(pǐnzhì)	intrinsic quality	逆境(nìjìng)	adversity
尊嚴(zūnyán)	dignity		
淵博(yuānbó)	deep and extensive knowledge		

練習

一 在下面的數量詞後加上恰當的名詞

一套 （　　） 　　一部 （　　） 　　一冊 （　　） 　　一種 （　　）

一套 （　　） 　　一部 （　　） 　　一冊 （　　） 　　一種 （　　）

二 選擇正確的中文翻譯，填到英語詞語後的空格內

愛情(àiqíng)	親情(qīnqíng)	友情(yǒuqíng)
純情(chúnqíng)	痴情(chīqíng)	感情(gǎnqíng)

sentiment （   ）   feeling of love （   ）

friendship （   ）   pure love   （   ）

love between blood relations （   ）   passion without reason （   ）

三 漢譯英

漢字＿＿＿＿	國畫＿＿＿＿	京劇＿＿＿＿
稱謂＿＿＿＿	禮儀＿＿＿＿	禁忌＿＿＿＿
億 ＿＿＿	萬＿＿＿	千＿＿＿

四 根據上面短文的内容，從括號裏選擇下列四字詞中黑體字的正確解釋

手不釋卷(shǒubùshìjuàn)   **釋**   （放下／解釋）

生死不渝(shēngsǐbùyú)   **渝**   （高興／改變）

栩栩如生(xǔxǔrúshēng)   **生**   （未熟／活的）

情同手足(qíngtóngshǒuzú)   **手足**   （兄弟／手腳）

五 根據短文内容，把左邊的詞語和右邊的定義搭配起來

（注意：所給的定義比詞語多）

詞語	定義
1 有數人家(yǒushùrénjiā) ＿＿＿＿	A 有幾個家庭。
2 兩小無猜(liǎngxiǎowúcāi)＿＿＿＿	B 文化高或低的人都能喜愛。
3 雅俗共賞(yǎsúgòngshǎng)＿＿＿＿	C 有名的家庭。
	D 男女小時在一起玩耍没有猜疑。
	E 高雅和庸俗的東西都有。

六 根據短文内容，回答下列問題

1 爲什麽武俠小説一看就知道是中國的？

2 金庸的名字是怎麽來的？

3 金庸1972年以後還寫小説嗎？你怎麽知道？

4 爲什麽説金庸的武俠小説常顯示出人性的尊嚴？

5 請寫下至少兩部金庸武俠小説的名稱。

七 小常識：請你把下列朝代按照時間先後來排列

隋(suí)、唐(táng)、宋(sòng)、秦(qín)、漢(hàn)、三國(sānguó)、五代(wǔdài)、南北朝(nánběicháo)、晉(jìn)、元(yuán)、清(qīng)、明(míng)

八 課堂討論與寫作

1 你喜歡武俠電影嗎？爲什麽？

2 《我喜歡中國的XX》（武俠小説／武俠電影、書法、京劇、剪紙、瓷器等）

第三單元	短文三

心靈的燈

巴金，原名李堯棠，1904年出生於四川成都，走過了101年的生命旅程。當巴金想有個筆名時，他正在翻譯俄國作家克魯泡特金的作品，於是就取其名中的"金"字；同時他又聽説在法國留學時的一位姓巴的室友自殺了，而留學生活中西方人重友情這一點給他留下了難以磨滅的印象，於是就用了這位室友的姓。

巴金曾説："任何時候在我的面前或遠或近，或明或暗，總有一道亮光，不管它是一團火、一盞燈，只要我一心向前，它就會永遠給我指路"。有了這一"心靈之燈"，他從未放弃過對理想和光明的追求。他對人類命運和社會前途有着樂觀的態度，他相信生活裏充滿着春天，而"春天是不會滅亡的"。

巴金追求的和平、自由、平等、互助的理想，是人類的共同理想。他常説人生的意義在於奉獻，而不在於索取，人只有在衆人的幸福中才能求得個人的幸福。

巴金以奮鬥爲生命，以痛苦爲力量，以獻身爲幸福。他的文學創作，無論是前期的《愛情三部曲》、《激流三部曲》等長篇巨著，還是後期的回憶性散文集《隨想錄》，始終保持着顯示個性、直面人生、憂國憂民的"五四"新文化傳統。巴金作爲"史無前例"年代的受難者，"文革"後卻以一個懺悔者的角度，"掏出自己燃燒的心"，要以真話見證歷史，喚起全社會對"文革"的反思。

巴金以他的"心靈之燈"照亮了二十世紀中國的文壇。

專名：

李堯棠(Lǐyáotáng)　　人名　　　　克魯泡特金(Kèlǔpàotèjīn)　　人名
俄國(Éguó)　　Russia

生詞：

旅程(lǚchéng)	journey	命運(mìngyùn)	destiny
放弃(fàngqì)	to give up	追求(zhuīqiú)	seek
奉獻(fèngxiàn)	to devote oneself	樂觀(lèguān)	optimistic
態度(tàidu)	attitude	索取(suǒqǔ)	to demand
顯示(xiǎnshì)	to show	見證(jiànzhèng)	testimony
理想(lǐxiǎng)	ideal; dream	反思(fǎnsī)	think back of
人格(réngé)	personality	磨滅(mómiè)	to efface
心靈(xīnlíng)	soul	良心(liángxīn)	conscience
激流(jīliú)	turbulent current	懺悔(chànhuǐ)	confess
奮鬥(fèndòu)	to struggle	文壇(wéntán)	the literary world
獻身(xiànshēn)	dedicate oneself		

練習

一 用下列所給的字組詞

（　　）壇　　　　（　　）弃　　　磨（　　　）　　　（　　　）途
（　　）壇　　　　（　　）弃　　　磨（　　　）　　　（　　　）途
激（　　）　　　索（　　）　　　隨（　　）　　　（　　）悔
激（　　）　　　索（　　）　　　隨（　　）　　　（　　）悔

二 選擇正確的量詞填空，每個量詞用兩次

團　　道　　盞　　篇
一（　　）烈火　　一（　　）電燈　　一（　　）小說　　一（　　）亮光
一（　　）毛綫　　一（　　）油燈　　一（　　）散文　　一（　　）問題

三 從上面的短文中找出下列詞語的反義詞

悲觀＿＿＿＿　　　放弃＿＿＿＿　　　索取＿＿＿＿　　　痛苦＿＿＿＿
戰爭＿＿＿＿　　　懷疑＿＿＿＿　　　熄滅＿＿＿＿　　　前期＿＿＿＿

四 選詞填空（可重復使用）

史無前例(shǐwúqiánlì)　　　　（歷史上從來沒有過）

憂國憂民(yōuguóyōumín)　　　（爲國家和人民而擔心）

難以磨滅(nányǐmómiè)　　　　（不容易忘記）

千秋萬代(qiānqiūwàndài)　　　（很長的時間很多代人）

1　中國從1966到1976的發生的無産階級文化大革命是（　　　　　）的。

2　"文革"給人們留下的痛苦烙印（　　　　　）。

3　"文革"給國家帶來了（　　　　　）的災難。

4　要不要反思"文革"，是一件關係到（　　　　　）的事。

5　巴金的《隨感録》會流傳（　　　　　）。

6　新文化運動中出現了很多（　　　　　）的作家。

五 漢譯漢

1 詞

文化_____　　　　樂觀_____　　　　和平_____

文明_____　　　　悲觀_____　　　　公平_____

文學_____　　　　主觀_____　　　　平等_____

2 詞組

任何時候_____　　　　有些小説_____

所有地方_____　　　　幾篇散文_____

整個國家_____　　　　一些詩歌_____

部分地區_____　　　　全部作品_____

3 句子

1）只要我一心向前，它就會永遠給我指路。

翻譯：_____

2）當巴金想有個筆名時，他正在翻譯俄國書籍。

翻譯：_____

六 根據短文內容，在下面空格内加✓

句子　　　　　　　　　　　　　　　　　　是　　　非　　　文中没有

1 巴金活了一個多世紀。　　　　　　　　　——　　——　　——
2 他是俄國留學生。　　　　　　　　　　——　　——　　——
3 巴金對西方人重友情這點印象很深。　　——　　——　　——
4 《激流三部曲》是根據自己的經歷寫的。　——　　——　　——
5 巴金在文化大革命中吃過很多苦。　　　——　　——　　——
6 巴金寫《隨感錄》是爲了懺悔自己在“文革”中的行爲。——　　——　　——

七 根據短文內容，回答下列問題

1 “任何時候在我的面前或遠或近，或明或暗，總有一道亮光，不管它是一團火、一盞燈，只要我一心向前，它就會永遠給我指路。”請你説説巴金在這段話中運用了哪些修辭手法？

2 巴金的文學創作有什麼特點？

3 巴金如何喚起全社會對“文革”的反思？

八 課堂討論與寫作練習

1 什麼是新文化運動？ 談談這場運動給中國的文學創作和人們的思想帶來了什麼樣的影響？
2 《希望》

第四單元　　短文一

飛天夢成真

幾千年來，中國人一直做着飛天夢，尤其是當銀月高挂，人們遙望碧空時，不由得會聯想起"嫦娥奔月"、"吳剛伐桂"、"玉兔搗藥"等千百年來世代相傳的神話。年年歲歲，中國人始終沒放弃要去太空看個究竟的夢想。

2003年10月15日9時，在酒泉，一陣地動山搖的轟鳴，"長征"二號F型運載火箭托舉着"神州"五號飛船直上藍天，一團橘紅色的烈焰留在了金秋的天空，10分鐘後，飛船進入預定軌道，太空迎來了首位中國人——楊利偉的到訪。

"神州五號"在太空中高速飛行，90分鐘繞地球一圈。一會兒白天，一會兒黑夜。晝夜交替之間，地球邊緣仿佛鑲了一道漂亮的金邊，景色迷人。飛船飛行到第七圈時，楊利偉在太空展示了中國國旗和聯合國旗，表達了中國人民和平利用太空，造福全人類的美好願望。按照預定計劃，在飛船飛行了21小時、繞地球14圈後，返回艙於16日清晨在內蒙古阿木古郎草原安全着陸。

中國人的飛天夢想成真，全球華人歡欣鼓舞。吳剛獻出桂花酒，嫦娥跳起廣袖舞，他們從此不再寂寞。2005年10月12日9時，神州六號載着費俊龍和聶海勝飛往太空。不遠的將來，中國會有更多的載人飛船飛向太空乃至登月，到桂花樹下小憩，去廣寒宮裏做客。

專名：

內蒙(Nèiměng)	Inner Mongolia	古阿木古郎(Gǔ'āmùgǔláng)	地名
酒泉(Jiǔquán)	地名	嫦娥(Cháng'é)	神話中的人名
廣寒宮(Guǎnghángōng)		Guanghan Palace，神話中說廣寒宮在月亮上	
吳剛(Wúgāng)	神話中的人名	楊利偉(Yánglìwěi)	人名
費俊龍(Fèijùnlóng)	人名	聶海勝(Nièhǎishèng)	人名

生詞：

遙望(yáowàng)	look into the distance	碧空(bìkōng)	azure sky
伐桂(fáguì)	cut the osmanthus tree	邊緣(biānyuán)	verge
搗藥(dǎoyào)	crush the medicine	神話(shénhuà)	myth
究竟(jiūjìng)	after all	轟鳴(hōngmíng)	to roar
運載(yùnzài)	to carry	托舉(tuōjǔ)	lift off
烈焰(lièyàn)	blaze	橘(jú)	tangerine
預定(yùdìng)	prearrange	軌道(guǐdào)	orbit
艙(cāng)	cabin	仿佛(fǎngfú)	as if
鑲(xiāng)	to inlay	獻出(xiànchū)	to give
桂花酒(guìhuājiǔ)	osmanthus flower wine	廣袖(guǎngxiù)	baggy sleeve
寂寞(jìmò)	lonely	小憩(xiǎoqì)	break
造福(zàofú)	to benefit		

練習

一 選擇恰當的表示顏色的詞語填空

黑　碧　銀　藍　紅　金

（　　）月　　　　　　（　　）空　　　　　　（　　）天
橘（　　）　　　　　　（　　）秋　　　　　　（　　）夜

二 漢譯英

天空＿＿＿＿　　聯想＿＿＿＿　　鼓舞＿＿＿＿　　火箭＿＿＿＿

太空＿＿＿＿　　夢想＿＿＿＿　　跳舞＿＿＿＿　　火焰＿＿＿＿

飛船_____　　　登月_____　　　漂亮_____　　　遥望_____

飛機_____　　　登山_____　　　明亮_____　　　願望_____

三　選擇正確關聯詞填空（注意：所給的關聯詞多於需要的）

A 不僅……而且……　　　　　　B 因爲……所以…….

C 雖然……但是……　　　　　　D 如果……那麼……

1 （　　）中國人上了太空，（　　）還没有登上月亮。

2 中國（　　）會有更多的飛船去太空，（　　）會去月亮上。

3 （　　）到了月亮上，（　　）就可以知道那兒究竟有没有嫦娥。

四　參照短文中的有關句式，用下面的中文詞語造句

按照　according to　　　乃至　and even　　　尤其　particularly

按照：_____

乃至：_____

尤其：_____

五　具體説明下列句子中加綫的詞語在短文中的意思

1 中國人始終没放弃要去太空看個<u>究竟</u>的夢想。

_____

2 他們<u>從此</u>不再寂寞。

_____

六 根據上面的短文，給下面的句子打✓

句子	是	非	文中没有
1 2003年10月15日"長征"二號火箭飛向太空。	——	——	——
2 幾千年來有三個中國人到達過太空。	——	——	——
3 飛船90分鐘繞地球飛一圈。	——	——	——
4 2003年10月16日清晨23分楊利偉從太空返回酒泉。	——	——	——
5 從此每年都有中國飛船去太空。	——	——	——

七 根據短文內容，回答下列問題

1 從太空看地球，景色怎樣迷人？

2 楊利偉用什麼方法表達了中國人民和平利用太空，造福全人類的美好願望？

3 "吳剛獻出桂花酒，嫦娥跳起廣袖舞"在文中的真實意思是什麼？

4 "到桂花樹下小憩，去廣寒宮裏做客"之句向讀者傳達了一個什麼信息？

八 課堂討論與寫作練習

1 人類爲什麼要上太空？

2 《如果我能上太空，……》

41

第四單元　　短文二

通往世界屋脊的天梯

2006年7月1日，從青海到西藏的鐵路全綫通車了！

青藏高原大多都在海拔3500米以上，擁有奇異的自然景觀和世界上獨有的野生動物和植物，至今還保持着比較原始的生態環境，因此青藏高原被世界自然基金會定爲"全球生物多樣性保護"最優先地區。在青藏高原上修築鐵路和通火車，既不能影響那裏的動植物，也不能破壞那裏的湖泊、濕地、凍土等。爲了實現這一目標，中國政府在環境保護方面花了15.4億人民幣，這在世界鐵路建築史上是史無前例的。

今天，當列車在世界屋脊上穿行時，藏羚羊有時遠遠地站着，像是在歡迎這條長龍來到高原；有時不理不睬地照樣覓食嬉戲；有時會悠閑地從鐵路下面的通道裏穿過。遠處有藏野驢在奔跑，藏牦牛在踱步，空中有黑頸鶴飛過，人與自然在這兒和諧共處。

世界上海拔最高的湖——納木錯，像一顆鑲嵌在青藏高原上的巨大藍寶石。這裏是尋找達賴喇嘛轉世的地方，所以是西藏的聖湖。每逢羊年，成千上萬的朝聖者來這兒轉湖。有的徒步行走，繞湖一圈要十幾天；還有的走三步磕一個長頭，這樣繞湖一圈則要歷時約3個月。爲了尊重藏族民衆的傳統習俗，青藏鐵路遠遠繞過了納木錯湖。

火車開進首府拉薩，雪域不再人跡罕至。希望這片神奇的土地永遠擁有這份純凈、這份天然。

專名：

青海(Qīnghǎi)	province name	西藏(Xīzàng)	Tibet
青藏高原(Qīngzànggāoyuán)	Qingzang plateau	拉薩(Lāsà)	Lhasa
納木錯湖(Nàmùcuòhú)	a lake in Tibet	達賴喇嘛(Dálàilǎma)	Dalai Lama

生詞：

鐵路(tiělù)	railway	通車(tōngchē)	open to traffic
海拔(hǎibá)	altitude	原始(yuánshǐ)	primitive
生態(shēngtài)	ecological	野生(yěshēng)	wild
動物(dòngwù)	animal	植物(zhíwù)	plant
優先(yōuxiān)	priority	影響(yǐngxiǎng)	affect
湖泊(húpō)	lake	濕地(shīdì)	wet land
凍土(dòngtǔ)	frozen ground	藏羚羊(zànglíngyáng)	Tibetan antelope
嬉戲(xīxì)	to frolic	悠閑(yōuxián)	leisurely
黑頸鶴(hēijǐnghè)	black necked crane	牦牛(máoniú)	yak
通道(tōngdào)	tunnel	野驢(yělú)	wild ass
和諧(héxié)	harmony	轉世(zhuǎnshì)	reincarnation
聖湖(shènghú)	holy lake	朝聖者(cháoshèngzhě)	pilgrim
磕頭(kētóu)	kowtow	尊重(zūnzhòng)	to respect
首府(shǒufǔ)	capital	純净(chúnjìng)	pure
天然(tiānrán)	natural		

練習

一 朗讀下列詞語，并在括號裏找出下列黑體字的正確解釋

踱步(duóbù)	**踱**	（慢走/快走）		覓食(mìshí)	**覓**	（看見/尋找）
徒步(túbù)	**徒**	（步行/散步）		雪域(xuěyù)	**域**	（國家/地區）
屋脊(wūjǐ)	**脊**	（屋頂/背脊）		罕至(hǎnzhì)	**罕**	（很多/很少）

二 選詞填空 （注意：所給的詞語多於需要的）

踱步　生態　純净　奔跑　定爲　和諧　優先　悠閑　嬉戲

1 空氣、水流、聲音的綜合污染，使自然風景區的 （　　　） 受到很大的影響。

2 藏羚羊被（　　　）北京奧運會的吉祥物之一。

3 藏族老人吃了飯就會出去（　　　）地（　　　）。

4 在修建青藏鐵路時，環境保護的事情總是被（　　　）考慮。

5 據說，全世界只有西藏的空氣和水最（　　　）。

6 西藏人民和大自然的關係一直很（　　　）。

三　參考短文內容，將下面的英文翻譯成中文

1 Tibetan antelopes pass through the animal tunnels.

翻譯：＿＿＿＿＿＿＿＿＿＿＿＿＿＿＿＿＿＿＿＿＿＿＿＿＿＿＿＿＿＿＿＿＿＿

2 Yaks pass over the railway tracks.

翻譯：＿＿＿＿＿＿＿＿＿＿＿＿＿＿＿＿＿＿＿＿＿＿＿＿＿＿＿＿＿＿＿＿＿＿

3 Black-necked cranes fly over the train station.

翻譯：＿＿＿＿＿＿＿＿＿＿＿＿＿＿＿＿＿＿＿＿＿＿＿＿＿＿＿＿＿＿＿＿＿＿

4 Wild asses run across the grassland.

翻譯：＿＿＿＿＿＿＿＿＿＿＿＿＿＿＿＿＿＿＿＿＿＿＿＿＿＿＿＿＿＿＿＿＿＿

5 The train goes around Namucuo Lake.

翻譯：＿＿＿＿＿＿＿＿＿＿＿＿＿＿＿＿＿＿＿＿＿＿＿＿＿＿＿＿＿＿＿＿＿＿

四 判斷下列句子運用了什麼修辭手法（注意：有的句子運用不止用一個修辭手法）

1 當列車在世界屋脊上穿行時，藏羚羊有時候遠遠地站着，象是在歡迎着這長龍來到高原；有時候不理不睬地照樣覓食嬉戲；有時候會悠閑地從鐵路下面的通道穿過。

2 世界上海拔最高的湖——納木錯，像一顆鑲嵌在青藏高原上的巨大藍寶石。

3 青藏鐵路是通往世界屋脊的天梯。

五 根據短文內容，把正確答案前面的字母填在右邊的括號中

1 世界屋脊是指　　　　　　　　　　（　　）

A 西藏自治區　　　　　　　B 青藏高原

C 首府拉薩　　　　　　　　D 西藏雪域

2 納木錯被稱爲聖湖，因爲　　　　　（　　）

A 這是世界上海拔最高的湖。　　B　這是尋找達賴喇嘛轉世的地方。

C 這是青藏高原上的藍寶石。　　D　這是成千上萬朝聖者轉湖的地方。

3 步行繞納木錯湖需要　　　　　　　（　　）

A 十多天　　　　　　　　　B 十天之多

C 三個月左右　　　　　　　D 三個多月

六 根據短文內容，回答下列問題

1 青藏高原爲什麼被定爲“全球生物多樣性保護”最優先地區？是什麼組織定的？

2 爲了達到什麼目標，修建青藏鐵路時在環境保護方面中國政府花了15.4億人民幣？

3 從哪兒可見人與自然在青藏高原上和諧相處？

七 課堂討論與寫作練習

1 搜集一些關於西藏的資料，在課堂上作交流。例如：文成公主與西藏王子松贊干布的故事、西藏的歌舞、西藏的野生動物、西藏的宗教與建築等。

2 《談“和諧”》

第四單元　　短文三

三峽水庫

　　長江，世界第三大河，中國第一大河，與黃河一起被稱作中國人的母親河。滾滾長江東流水，哺育了兩岸人民，造就了繁榮的經濟。她溝通南北，連接東西，沿岸有着豐富的文化遺跡，留下了很多歷史的記憶。長江中下游地區有着魚米之鄉的美名。可是，長江中游，流沙堆積，河床變高，洪水直接威脅着江漢平原和洞庭湖區的1500萬人口和150萬公頃良田的安全。從公元前206年至今，大範圍的洪災達218次之多，1998年的特大洪水給人們帶來的災難至今還歷歷在目。

　　長江洪災是中華民族的"心腹之患"。爲了根除這個病根，中國啓動了讓世界震驚的三峽工程。預計到這項工程全部結束時，將有3479.47萬平方米的房屋被淹，113.18萬人口要遷居，400多處文物將永遠從地面消失。

　　然而，三峽工程能控制上游的洪水，提高整體防洪能力；調節中游枯水期的流量；同時利用水能發電，減少燒煤發電帶來的廢氣污染。2004年，三峽攔蓄洪水5億立方米，在防禦洪水方面取得了明顯效果。上海、廣州等地區已經開始使用來自三峽的電能，將來充足、高效、清潔、方便的水力電能可以照亮半個中國。三峽工程還使得航行條件改善了很多，三峽水域開始成爲"黃金水道"。

　　如果能夠採用科學的策略，興利除弊，那麼三峽工程就有希望造福於人類。

專名：

三峽(Sānxiá)　　Three Gorges　　　長江(Chángjiāng)　　Yangtze River
江漢平原(Jiānghànpíngyuán)　　　　Jianghan Flatland
黃河(Huánghé)　　Yellow River　　　洞庭湖(Dòngtínghú)　Dongting Lake

生詞：

水庫(shuǐkù)	reservoir	造就(zàojiù)	to create a useful person/thing
哺育(bǔyù)	to nurture	繁榮(fánróng)	thrive
溝通(gōutōng)	communicate	中下游(zhōngxiàyóu)	mid-low reaches of river
豐富(fēngfù)	abundance	沿岸(yánàn)	along the riverbank
遺跡(yíjì)	ruins	記憶(jìyì)	memory
威脅(wēixié)	threaten	河床(héchuáng)	river bed
洪災(hóngzāi)	flood	災難(zāinàn)	disaster
淹(yān)	drown	公頃(gōngqǐng)	hectare
範圍(fànwéi)	area	控制(kòngzhì)	to control
調節(tiáojié)	adjust	枯水期(kūshuǐqī)	period of low water level
水能(shuǐnéng)	hydropower	發電(fādiàn)	generate electricity
煤(méi)	coal	攔蓄(lánxù)	impound
效果(xiàoguǒ)	effect	航行(hángxíng)	to sail
改善(gǎishàn)	improve	策略(cèlüè)	strategy

練習

一　選字組詞

峽(xiá)/俠(xiá)　　　　育(yù)/盲(máng)　　　　溝(gōu)/構(gòu)
淹(yān)/掩(yǎn)　　　　充(chōng)/允(yǔn)　　　畜(chù)/蓄(xù)

（　　）客　　　哺（　　）　　　（　　）通

三（　　）　　　（　　）目　　　結（　　）

（　　）沒　　　（　　）足　　　牲（　　）

（　　）護　　　（　　）許　　　（　　）水

二 連接反義詞

繁榮	貧乏	提高	希望
美名	蕭條	失望	降低
豐富	惡名	減少	結束
利	弊	開始	增加

三 選擇恰當的助詞填空（注意：有的詞可以用多次）

的　　得　　地　　着　　了　　過

1 還在建設（　　）的長江三峽工程大（　　）讓世界震驚。

2 很多去（　　）長江三峽旅游的人都説那兒的風景很優美。

3 長江三峽發電廠發（　　）電力已經送到（　　）上海、廣州等地。

4 長江的洪水兇猛（　　）威脅（　　）江漢平原。

5 三峽工程防禦洪水（　　）效果已經獲得（　　）證明。

四 連接下面意思相同的中、英文詞語，然後選用兩個詞語造中文句子

心腹之患(xīnfùzhīhuàn)　　　　promote the beneficial and eradicate the harmful

魚米之鄉(yúmǐzhīxiāng)　　　　serious trouble or danger

歷歷在目(lìlìzàimù)　　　　a land flowing with milk and honey

興利除弊(xīnglìchúbì)　　　　remain fresh in one's memory

造句：_____

造句：_____

五 漢譯英

小時＿＿＿＿　　分鐘＿＿＿＿　　秒鐘＿＿＿＿　　點鐘＿＿＿＿

高原＿＿＿＿　　平原＿＿＿＿　　盆地＿＿＿＿　　山嶺＿＿＿＿

沙漠＿＿＿＿　　峽谷＿＿＿＿　　洋＿＿＿＿　　海＿＿＿＿

河＿＿＿＿　　　　湖＿＿＿＿　　　　泉＿＿＿＿　　　　溪＿＿＿＿

平方＿＿＿＿　　　　立方＿＿＿＿　　　　公頃＿＿＿＿　　　　公里＿＿＿＿

六 閱讀短文，判斷下面的句子對（✓）、錯（X）或文中沒有（沒）

1 長江兩岸的歷史文物很豐富，但是經濟生活很貧窮。　　　　（　　　）

2 由於經常發洪水，所以江漢平原和洞庭湖區的土地很差。　　　　（　　　）

3 長江既帶給我們利也帶給我們弊。　　　　（　　　）

4 三峽工程改善了航行條件，帶來了很大的經濟效益。　　　　（　　　）

5 三峽水力電能可以送往480萬平方公里的地域。　　　　（　　　）

6 三峽工程完工後，長江就不會發洪水了。　　　　（　　　）

七 根據短文內容，回答下列問題

1 爲什麼長江被稱作母親河？

2 爲什麼說長江洪水是中華民族的心腹之患？

3 三峽發電廠的電能有什麼特點？

八 課堂討論與寫作練習

1 除了短文提供的知識外，你對三峽工程還有哪些了解？圍繞"三峽工程的利與弊"，談談你自己獨到的見解。

2 《我記憶中的一條河》

第五單元　　短文一

儒　釋　道

　　長久以來，中國人一直有以儒治國、以道治身、以佛治心的説法。那麼儒、釋、道的主要内容是什麼呢？下面分别作一下簡單的介紹。

　　以孔孟思想爲基礎的儒家（也稱之爲"儒教"），以仁爲本，追求人格的完美。儒教提倡入世精神，鼓勵人們在現實世界中實現人生的價值。儒教主張"和爲貴"、"和而不同"，希望有一個"天下爲公"的大同世界。儒家以仁、義、禮、智、孝、悌、忠、信爲道德原則，以孝悌爲仁之本，千百年來，陶冶出中華民族温良謙恭、吃苦耐勞、自强不息的情操。

　　釋迦牟尼創立的佛教（也稱"釋"）在漢朝通過絲綢之路從印度傳入中國。佛教以人爲本，關心人的生老病死，關心人的願望不能實現而産生的痛苦。佛教認爲貪、嗔、痴是一切痛苦和罪惡的根源，所以提倡克制欲望，不殺生靈、衆生平等。佛教引導人們通過行善事來體現今生的價值，求得來世的幸福。佛教的"慈悲平等"、"去惡從善"等思想，造就了中華民族善良、寬容、奉獻的性格内涵。

　　以老莊思想爲基礎的道教是中國唯一一個土生土長的宗教，它以自然爲本，提倡"無爲"的原則。這就是説要遵循自然的規律，尊重人的個性。"無爲"使我們不做瑣碎、低級、淺薄、無謂的事，把有限的生命投入到有意義、有價值的事情當中去。同時，排除雜念的干擾，求得心靈的寧静，可達到養生延年的效果。"道"主張不可去破壞自然本性，追求在人與道的合一中發掘人的生命價值。"道"賦予中華民族親近自然、崇尚儉樸、瀟灑自如的風骨。

　　儒、釋、道三家以各自的方式追求真、善、美，共同培育中華民族的精神，鑄就中國人的民族性格。

專名：

孔丘(Kǒngqiū)	孔子的名字	孟軻(Mèngkē)	孟子的名字
李聃(Lǐdān)	老子的名字	釋迦牟尼(Shìjiāmóuní)	佛教創始人
莊周(Zhuāngzhōu)	莊子的名字(春秋戰國時，稱"子"表尊敬，相當於今天的"先生")		

生詞：

儒(rú)	Confucianism	道(dào)	Taoism
佛(fó)	Buddhism	治(zhì)	to rule
基礎(jīchǔ)	foundation	人格(réngé)	personality
仁(rén)	benevolence	義(yì)	righteousness
禮(lǐ)	courtesy	智(zhì)	intelligence
悌(tì)	love and respect one's older brother		
孝(xiào)	filial	忠(zhōng)	loyalty
信(xìn)	trustworthy	道德(dàodé)	morality
原則(yuánzé)	principle	熏陶(xūntáo)	to influence
溫良(wēnliáng)	benign	絲綢(sīchóu)	silk
實現(shíxiàn)	to implement	貪(tān)	greed
嗔(chēn)	be angry	罪惡(zuìè)	maleficence
遵循(zūnxún)	comply with	規律(guīlǜ)	rule
提倡(tíchàng)	to advocate	克制(kèzhì)	to restrain
生靈(shēnglíng)	the living creatures	欲望(yùwàng)	desire
體現(tǐxiàn)	embody	價值(jiàzhí)	worth
慈悲(cíbēi)	mercy	造就(zàojiù)	bring up
奉獻(fèngxiàn)	to make contribution	寬容(kuānróng)	tolerate
宗教(zōngjiào)	religion	瑣碎(suǒsuì)	trivialness
低級(dījí)	low and degrading	淺薄(qiǎnbó)	shallow
雜念(zániàn)	distracting thoughts	無謂(wúwèi)	meaningless
有限(yǒuxiàn)	limited	排除(páichú)	eliminate
干擾(gānrǎo)	interfere	賦予(fùyǔ)	endow with
風骨(fēnggǔ)	strength of character	追求(zhuīqiú)	to seek
崇尚(chóngshàng)	advocate	儉樸(jiǎnpǔ)	frugality
瀟灑(xiāosǎ)	natural and unrestrained	鑄造(zhùzào)	to cast

練習

一 用下面所給的形似字組詞

儒（　　）　　（　　）值　　　鎖（　　）　　　（　　）擾

糯（　　）　　（　　）植　　　瑣（　　）　　優（　　）

體（　　）　　（　　）薄　　　（　　）灑　　培（　　）

休（　　）　　（　　）簿　　　（　　）酒　　（　　）倍

二 根據短文內容，從括號中選出加綫字的正確解釋

以自然爲<u>本</u>　　（根本/本來）　　　　吃苦耐<u>勞</u>　　（忍耐/耐心）

養<u>生</u>延年　　（身體/生活）　　　　溫良謙<u>恭</u>　　（慶賀/有禮）

自强不<u>息</u>　　（停止/休息）　　　　貪、嗔、<u>痴</u>　　（妄想/愚笨）

三 根據短文內容，把左邊和右邊的詞組連接成意思完整的句子
（注意：右邊的詞組比左邊多）

1　只有人格完美的人　　　　　A　才是中國本土的宗教。

2　只有道教　　　　　　　　　B　才可以成爲"仁人"。

3　佛教傳入中國　　　　　　　C　在中國也稱作"釋"。

4　釋迦牟尼創立的佛教　　　　D　也已經有兩千多年了。

　　　　　　　　　　　　　　　E　也是中國本土的宗教。

四 根據短文內容，在正確的句子旁的括號內打上✓

1　儒家認爲"萬善孝爲先"。　　　　　　　　　　　（　　）

2　"孝悌"的意思是要孝敬師長、尊敬兄長。　　　（　　）

3　佛教是中國的國教。　　　　　　　　　　　　　（　　）

4　佛教是追求今生今世的人生價值和幸福。　　　　（　　）

5　"以出世心做入世事"是佛教的理念。　　　　　（　　）

6　道教是以李聃和莊周的思想爲基礎的。　　　　　（　　）

7 "無爲"就是什麼都不要做。 （　　）

8 道教重視的是人與自然的和諧。 （　　）

五　根據短文內容，回答下列問題。

1 儒、釋、道三家各自是以什麼作爲最根本的原則？

2 孔子認爲大同世界應該是怎麼樣的？

3 佛教認爲痛苦和罪惡的根源是什麼？

4 爲什麼道教思想可以達到養生延年的效果？

5 在儒、釋、道的影響下，中華民族成爲了一個怎麼樣的民族？

六　課堂討論與寫作練習。

1 談談你是怎麼理解孔子關於"和爲貴"，"和而不同"，"天下爲公"的思想的？他的這些思想對於今天動亂的世界可以起到些什麼作用？

2 《宗教與人生》

第五單元　　短文二

祖先崇拜

中國人的祖先崇拜天上的日月星辰。

古人喜歡紅色就是起源於崇拜太陽。只有在紅色的太陽的照耀下，萬物才能生長，才有生命，所以從遠古起，中國人就崇拜陽光和陽光的顏色。

在漢語裏，紅"經常是成功的象徵，"紅人"就是指受到上級欣賞的人；紅色也有喜慶吉祥之意：過年時的壓歲錢放進紅紙包，春聯寫在紅紙上，新娘子要穿紅衣服；京劇裏關公是個大紅臉，因爲"紅"還表示熱情和正義。說你"紅光滿面"，也就是說你看上去身體健康精神好。

今天的中秋節有着遠古崇拜月亮的痕跡。經歷了春播、夏種、秋收的辛勞，在陰曆8月15日——月亮離地球最近，顯得最亮最圓的日子裏，全家一邊享受着鮮果、月餅慶祝五穀豐登，一邊祭拜月亮感謝上天風調雨順。傳説中月亮裏有玉兔、有蟾蜍。母兔懷孕28天產小兔，這也正好是女性月經周期的天數；蟾蜍生殖力强，是生殖母體的象徵。月圓人團圓之時，女人們拜月祈求家庭興旺，子孫滿堂。

據考證，6500年前中國人就發現了北斗星。有了北斗星，中國人從此分清了天地、東西與春秋。考古發現，古人還"以人爲犧牲"，來表示崇拜北斗。

中國人崇拜生命和帶來生命的生殖器。從祖先、祖宗的"祖"字就不難看出古人對"且"——男根的崇拜，大量的考古發現證明了這一點。從5000-6000年前的紅山文化遺址發現了大量玉器，其中的"玉猪龍"就是一個胚胎的雛形，表現了古人對新生命的崇拜。

龍是中國古人的圖騰。中國龍有蛇身、馬頭、蝦眼、鹿角、虎掌、鷹爪、金魚尾，它是中國古代各部落聯盟後圖騰融合的結果。後來，龍就成了權力的象徵，封建帝王的化身。今天，隨着中國經濟的飛速發展，世界稱"東方的巨龍騰飛"了。

專名：

紅山文化遺址(Hóngshānwénhuàyízhǐ)　　Hongshan Culture Archaeological Site

關公(Guāngōng)　　歷史人物關羽(Guānyǔ)的尊稱(zūnchēng)

生詞：

星辰(xīngchén)	stars	照耀(zhàoyào)	to shine
成功(chénggōng)	successful	象徵(xiàngzhēng)	symbolise
上級(shàngjí)	higher authorities	欣賞(xīnshǎng)	appreciate
春聯(chūnlián)	Spring couplet	正義(zhèngyì)	justice
痕跡(hénjì)	trace	播(bō)	to seed; to sow
種(zhòng)	to plant; to grow	收(shōu)	harvest; to collect
陰曆(yīnlì)	Lunar calendar	享受(xiǎngshòu)	enjoy
祭拜(jìbài)	make offering	蟾蜍(chánchú)	toad
懷孕(huáiyùn)	pregnant	月經(yuèjīng)	menstruation
生殖(shēngzhí)	reproduction	考古(kǎogǔ)	archaeology
證明(zhèngmíng)	prove	犧牲(xīshēng)	sacrifice
遺址(yízhǐ)	archaeological site	胚胎(pēitāi)	foetus
雛形(chúxíng)	embryonic form	圖騰(túténg)	totem
掌(zhǎng)	palm	鷹(yīng)	eagle
部落(bùluò)	tribe	聯盟(liánméng)	alliance
融合(rónghé)	mix together	權力(quánlì)	power
化身(huàshēn)	incarnation	騰飛(téngfēi)	to take off
壓歲錢(yāsuìqián)	money given to children during Spring festival		

55

練習

一 請你從上面短文中找出10種動物的名稱，然後填寫在下面句子的括號裏

1 （　　　）歡快地游來游去。

2 （　　　）是森林之王。

3 齊白石畫的（　　　）仿佛是活的。

4　（　　　）急了也會咬人。

5　大家都知道畫（　　　）添足的成語故事。

6　（　　　）在藍天飛翔。

7　新春時人們見面愛說"龍（　　　）精神"。

8　科學研究發現（　　　）一點也不笨，還很聰明呢！

9　（　　　）雖然難看，卻是捉蚊子的好手。

10　劉翔跑得比（　　　）還要快。

二　用所給的字組詞

拜（　　）　　　　　正（　　）　　　　權（　　）　　　　（　　）孕

（　　）拜　　　　　（　　）正　　　　權（　　）　　　　孕（　　）

（　　）勞　　　　　牲（　　）　　　　遺（　　）　　　　（　　）證

（　　）勞　　　　　（　　）牲　　　　遺（　　）　　　　證（　　）

三　請你選用恰當的數字填寫在下面的成語中并說說它們是什麼意思

（　　）字千金　　　　　　（　　）小無猜

（　　）心二意　　　　　　（　　）通八達

（　　）穀豐登　　　　　　（　　）親不認

（　　）上八下　　　　　　（　　）面威風

（　　）牛一毛　　　　　　（　　）全十美

四 把左邊的詞語和右邊的正確解釋連接起來（注意：所給的解釋多於需要的）

1 五穀豐登(wǔgǔfēngdēng)　　　　　　A 形容天氣適合農作物生長。

2 風調雨順(fēngtiáoyǔshùn)　　　　　　B 形容家裏人口不斷增加。

3 家庭興旺(jiātíngxīngwàng)　　　　　　C 形容家庭蓬勃發展。

　　　　　　　　　　　　　　　　　　E 形容糧食大豐收。

五 根據要求，把下面的英文翻譯成中文

1 Only when under sunshine, can everything grow and have life.

　（請用"只有……才……"的句式）

翻譯：＿＿＿＿＿＿＿＿＿＿＿＿＿＿＿＿＿＿＿＿＿＿＿＿＿＿＿。

2 As all the families are enjoying the fresh fruits, moon cakes and celebrating the harvest, they are also at the same time worshiping the moon as thanks to the heavens for giving them good weather.

　（請用"一邊……一邊……"的句式）

翻譯：＿＿＿＿＿＿＿＿＿＿＿＿＿＿＿＿＿＿＿＿＿＿＿＿＿＿＿。

六 根據短文內容，回答下列問題

1 中國人從什麼時候起喜愛紅色的？爲什麼？

2 請把"以人爲犧牲"翻譯成現代文。在短文中引用這句話爲了説明什麼？

3 你知道"陰曆"還可以叫什麼？

4 請對"龍"的形象作一下介紹。爲什麼龍有這麼個形象？

5 中秋節真正的意義是什麼？

七 課堂討論與寫作練習

1 你的國家崇拜什麼？ 這與該國傳統文化有什麼關係？

2 根據傳説或者自己的想像，編寫一個關於日月星辰的故事。

第五單元　　短文三

簡說《易經》與風水

《易經》是周文王在獄中所作，也叫《周易》。"易"是變易、簡易和不易，換個說法，就是變化性、概括性、規律性。"風水"是"藏風得水"的簡單說法，歸根結底又爲"氣"。天體、日、月、星辰爲天場之氣，地球、水、火、風、磁場爲地場之氣，人體場處於天地場之間。人體之氣和天地宇宙之氣相互交流、相互作用，達到互補互助、天地人合一。

金、木、水、火、土五行是我們祖先對宇宙萬物的認識，它們之間的相生相克，平衡着地之能量，與陰陽八卦結合，運用到風水學裏，體現了天、地、人合一的觀念。

古人云："一命二運三風水"，民間一直信奉好風水能起到趨吉避凶的效果。而風水學就是尋找適合於人體的吉氣，避開不吉的煞氣。

《黃帝宅經》上講："地善，苗旺盛；宅吉，人興隆"。古人選擇有山、有水、向陽的地方建造房屋，這道理和植物生長一樣，有充足的陽光和水源的地方才適合生活。這樣一來，房屋不但有實用性，也順應了自然。

一座整天不見陽光、昏暗潮濕的房子，人住在裏邊，就會陰陽失調，健康就會受到影響。廚房對着廁所，臭氣進入煮飯、做菜的廚房，怎麼會是吉氣？房子處在丁字路口，與噪音、廢氣終日爲伴，又怎麼會是吉屋？

如果把一缸金魚或幾盆花草擺放在房間院內不同的位置，它們有的長得健康茁壯，有的長不大甚至很容易死。於是風水學家會指點人們：這兒挂個銅鈴、放盆水，那兒種棵樹、鑲塊鏡子，這樣可以調節"氣"，來達到平衡和諧。

古人不但在建陽宅的時候要選好風水，在建陰宅的時候也要選好風水。據說風水好壞不僅會影響到逝者能否入土爲安，還會影響到其子孫後代的幸福。

但也有不少人相信命運掌握在自己手裏，一聽到"風水"二字，就聯想到"迷信"。

風水學說中魚龍混雜，我們需要辯證分析，取其中合理、科學的部分，讓這一古老的文化遺産爲我們的現代生活服務。

專名：

《易經(Yìjīng)》/《周易(Zhōuyì)》	書名
周(Zhōu)	Zhou Dynasty（1100BC-256BC）
周文王(Zhōuwénwáng)	原名姬昌(Jīchāng)，是周武王的爸爸，"文王"是他死後對他的尊稱。
黃帝(Huángdì)	華人祖先，大約生活在4500BC
《黃帝宅經(Huángdìzháijīng)》	書名

生詞：

獄(yù)	jail	變化(biànhuà)	changes
概括(gàikuò)	sum up	氣(qì)	energy
場(chǎng)	field	磁場(cíchǎng)	magnetic field
宇宙(yǔzhòu)	universe	作用(zuòyòng)	function
平衡(pínghéng)	to balance	能量(néngliàng)	energy
結合(jiéhé)	to combine	信奉(xìnfèng)	to believe in
趨(qū)	go after	避(bì)	avoid
煞氣(shàqì)	evil energy	向陽(xiàngyáng)	south-facing
順應(shùnyìng)	accustom	實用(shíyòng)	practical
昏暗(hūnàn)	obscuration	失調(shītiáo)	imbalance
命運(mìngyùn)	fortune	迷信(míxìn)	superstition
分辨(fēnbiàn)	differentiate	掌握(zhǎngwò)	come to grips with

59

練習

一 讀拼音寫漢字

cíchǎng	yǔzhòu	pínghéng	bāguà
＿場	宇＿	平＿	八＿

xìnfèng	xúnzhǎo	shàqì	hūnàn
信＿	＿找	＿氣	＿暗

cháoshī	qīnrǎo	zàoyīn	jiànkāng
潮＿	侵＿	＿音	＿康

zhuózhuàng	héxié	jìngzi	zhǎngwò
＿壯	和＿	＿子	＿握

二 從短文中找出下列詞語的反義詞

陰＿＿＿＿　　　　　干燥＿＿＿＿　　　　　瘦弱＿＿＿＿

兇＿＿＿＿　　　　　困難＿＿＿＿　　　　　缺少＿＿＿＿

趨＿＿＿＿　　　　　明亮＿＿＿＿　　　　　迷信＿＿＿＿

三 參考上面短文中的詞語，把下面的英文翻譯成中文

variability＿＿＿＿　　　recapitulation＿＿＿＿　　　regularity＿＿＿＿

practicality＿＿＿＿　　　intercommunion＿＿＿＿　　　supplement each other＿＿＿＿

mutually affecting＿＿＿＿　　　sun-facing＿＿＿＿

mutual promotion and restraint between the five elements ＿＿＿＿

t-junction＿＿＿＿　　　cross-junction＿＿＿＿　　　south-facing＿＿＿＿

四 把左邊的詞語和右邊的定義搭配起來（注意：所給的定義比詞語多）

詞語		定義
1 歸根結底	＿＿＿＿	A 埋到墓地裏才能安定。
2 趨吉避兇	＿＿＿＿	B 歸結到根本上。
3 魚龍混雜	＿＿＿＿	C 追求好運氣避開壞運氣。
4 入土爲安	＿＿＿＿	D 魚和龍混雜着住在海裏。
		E 壞的和好的混雜在一起。

五 正確地連接左邊和右邊的詞組，組成意思完整的句子

1 活人居住的房子	A 人體場。
2 埋葬死者的墓地	B 爲陰宅。
3 每個人都有	C 是陽宅。
4 天體、日、月、星辰	D 是地球、水、火、風、磁場。
5 地場之氣	E 金、木、水、火、土。

6 中國人的祖先把對宇宙的認識概括爲　　F 爲天地之氣。

7 "藏風得水"概括地説　　　　　　　　G 是風水學。

8 找尋吉氣避開煞氣的學問　　　　　　　H 是風水。

六　根據短文内容，回答下面問題

1 《易經》是誰寫的？"易"是什麼意思？

2 "風水"如何體現天地人合一？

3 什麼是"五行"？它們與風水有什麼關係？

4 什麼樣的屋子會造成人的陰陽失調？

5 什麼樣的屋子有煞氣？爲什麼？

6 請用"風水"的理論來解釋：爲什麼一缸金魚或幾盆花草擺放在房間院内的不同位置會出現不同的現象？

七　課堂討論與寫作練習

1 現在中國大學的建築係紛紛開設"風水學"這門課，有人支持有人反對。你是怎麼看待這個現象的？爲什麼？

2 《我的"風水"觀》

中國印與福娃

2008年北京即將舉辦第29屆奧運會。這屆奧運會的口號是"同一個世界，同一個夢想"。

"中國印"是北京奧運會的會徽，它的設計聰明極了。首先會徽以紅色作主要顏色、以印章作主體圖案，體現了濃郁的中國文化味兒，洋溢着喜慶與祥和；其次會徽主體部分像"京"字，凸現了29屆奧運會的舉辦地——舞動的北京張開雙臂，真誠熱烈地迎接四方友人；再次會徽又似奔跑的"人"，充滿活力與激情，體現了奧林匹克更快、更高、更強的精神。

北京2008年第29屆奧運會的吉祥物是五個各具特色的"福娃"。

貝貝的頭部是魚紋圖案。人們用"鯉魚跳龍門"寓意事業有成，夢想成真；"魚"還有吉慶有餘的意思。貝貝是水上運動的高手，代表奧運五環旗中的藍環。

晶晶的頭部是蓮花瓣造型。大熊貓是中國國寶，爲世界人民所喜愛。晶晶憨態可掬，象徵着人與自然的和諧共存，代表奧運旗中的黑環。

歡歡的頭部是燃燒的火焰。火娃娃象徵奧運聖火。歡歡是激情的化身，擅長各項球類運動，代表奧林匹克五環中的紅環。

迎迎的頭部融入了中國西部地區的裝飾風格。迎迎是青藏高原的珍稀動物——藏羚羊的化身，可見迎迎是田徑好手，代表奧運旗中的黃環。

妮妮的造型來自北京傳統的燕子風箏。"燕"代表燕京（古代北京的稱謂）。在藍天下歡快敏捷飛翔的妮妮，將出現在體操比賽中，代表奧運旗中的綠環。

當把五個福娃的名字連在一起，就是"北京歡迎你"！福娃們願將祝福——
繁榮、歡樂、
激情、健康與
好運帶往世界
各個角落。

專名：

奧林匹克運動會(Àolínpǐkèyùndònghuì)　　Olympic Games

生詞：

印(yìn)/印章(yìnzhāng)seal		即將(jíjiāng)	be about to
口號(kǒuhào)	slogan	會徽(huìhuī)	game's emblem
聰明(cōngmíng)	clever	洋溢(yángyì)	overflow
祥和(xiánghé)	harmony	主體(zhǔtǐ)	principal part
凸現(tūxiàn)	prominently show	紋(wén)	grain
圖案(túàn)	pattern	寓意(yùyì)	moral
活力(huólì)	vigor	奮發(fènfā)	impel oneself
屆(jiè)	measure word	宗旨(zōngzhǐ)	principle
五環旗(wǔhuánqí)	Olympic five-ring flag	吉祥物(jíxiángwù)	mascot
蓮花(liánhuā)	lotus flower	花瓣(huābàn)	petal
憨態可掬(hāntàikějū)	cute	燃燒(ránshāo)	to be on fire
火焰(huǒyàn)	flame	聖火(shènghuǒ)	Olympic flame
激情(jīqíng)	enthusiasm	擅長(shàncháng)	to be expert in
珍稀(zhēnxī)	rare and precious	融入(róngrù)	melted into
田徑(tiánjìng)	track and field	造型(zàoxíng)	shape
敏捷(mǐnjié)	agility	燕子(yànzi)	swallow
風箏(fēngzhēng)	kite	體操(tǐcāo)	gymnastics
祝福(zhùfú)	well-wishing		

63

練習

一　辨別下面的形似字并組詞

即(jí)＿＿＿＿　　　　徽(huī)＿＿＿＿　　　　洋(yáng)＿＿＿＿　　　　臂(bì)＿＿＿＿

既(jì)＿＿＿＿　　　　微(wēi)＿＿＿＿　　　　祥(xiáng)＿＿＿＿　　　　肩(jiān)＿＿＿＿

部(bù)＿＿＿＿　　　　諧(xié)＿＿＿＿　　　　擅(shàn)＿＿＿＿　　　　賽(sài)＿＿＿＿

倍(bèi)＿＿＿＿　　　　楷(kǎi)＿＿＿＿　　　　顫(chàn)＿＿＿＿　　　　塞(sāi)＿＿＿＿

二 把左邊的詞語與右邊的定義連接起來（注意：所給的定義多於需要的）

詞語　　　　　　定義

1 主體　　　　　A 主要的目的和意圖。

2 宗旨　　　　　B 新的想法或方法。

3 創意　　　　　C 主要的部分。

4 寓意　　　　　D 最基本的規則。

　　　　　　　　F 包含的意思。

三 選詞填空

好手(hǎoshǒu)/高手(gāoshǒu)、旱鴨子(hànyāzi)、筆杆子(bǐgǎnzi)、
馬大哈(mǎdàhā)、我那位(wǒnàwèi)、大款(dàkuǎn)

1 精於某種技巧藝術的人叫_____。　　2 很會寫文章的人叫_____。

3 不會游泳的人叫_____。　　　　　　4 粗心大意的人叫_____。

5 稱自己的丈夫、妻子或情人是_____。　6 有錢的人叫_____。

四 英譯漢

1 "One World, One Dream" is the slogan of the 2008 Beijing Olympic Games. The
Games' emblem is the Chinese seal, while their mascots are the "Lucky Dolls"。

翻譯：_____

_____

2 "Faster, higher and stronger" is the Games' spirit。

翻譯：_____

3 The Giant Panda is a Chinese treasure, and loved by people across the world.

翻譯：_____

五 閱讀短文，判斷下面的句子對（✓）、錯（X）或文中沒有（沒）

1 第29屆奧林匹克運動會將是第二次在北京舉行。　　　　　　（　　）

2 "中國印"的主體圖案既像"京"字，又象奔跑的"人"。　　　（　　）

3 同時作爲奧運會的吉祥物有五個，是奧運史上數量最多的吉祥物。（　　）

4 五個"福娃"連起來的意思是"同一個世界"。　　　　　　　（　　）

5 五個"福娃"的顏色是取自奧運會五環旗的五種顏色。　　　　（　　）

6 很久以前，北京叫"燕京"。 （　）

7 大熊猫和藏羚羊都憨態可掬。 （　）

8 "魚"可以表示吉慶有餘的意思。 （　）

六 根據短文內容，回答下列問題

1 北京奧運會的會徽設計聰明在哪兒？

2 爲什麽要用福娃"貝貝"來代表水上運動的高手？

3 "福娃"中"迎迎"的頭部爲什麽要融入了西部地區的裝飾風格？

4 你最喜歡哪個福娃？爲什麽？

七 課堂討論與寫作練習

1 課前先去查找有關奧林匹克運動會歷史的資料，然後在課堂交流"我所知道的奧運故事"。

2 《論"奧運精神"》或《我對2008北京奧運有話説》

第六單元　　短文二

玄奘

　　《西游記》裏的唐僧騎着小白龍變成的白馬，由孫悟空、豬八戒、沙和尚護送着去西天取經。在歷史上真有這個人。不過在1370多年前，他是孤身一人歷經千辛萬苦到的西天，這個人就是玄奘。

　　玄奘是唐初洛陽人，本姓陳，名煒。因父母早喪，家貧，13歲就在洛陽的寺廟做了和尚，玄奘是他的法名。爲了深入地研究佛經，他到處求師訪友，但有些疑難問題始終得不到解答。於是他決定去佛教的發源地印度學習、取經。

　　629年，玄奘騎（1）一匹老馬，從長安出發。他走過寸草不生的沙漠，翻過終年積雪（2）高山。有一次，他不當心把皮袋裏的水倒翻了，接連5天沒喝到一滴水，口渴（3）昏過去，可一醒過來，還是頑强（4）前進。兩年間，他克服（5）數不清的困難，走（6）20多個國家，才到達印度。

　　爛陀寺是印度最大的寺院，玄奘在那裏虛心向有學問的人請教，艱苦地學習了5年，不僅學到了佛教的真諦，還學會了印度的許多種語言。同時，玄奘到各地講學。有一次，他參加一個規模盛大的佛學辯論會，到會聽講的有18個國家的國王和各國著名的僧侶近7000人，此外還有不計其數的百姓。他的演講，沒有人可以駁倒，得到廣泛的稱贊。

　　公元645年，玄奘帶着幾百部佛經回到長安，受到從朝廷到民間空前的歡迎。玄奘不僅學識淵博，還是一位成績出色的翻譯家，他主持翻譯了佛教經典75部。他精通佛學中的《經藏》、《律藏》和《論藏》，所以後人尊稱他爲"三藏法師"，至今人們還喜歡稱他爲"唐三藏"。

專名：

陳煒(Chénwěi)	人名	玄奘(Xuánzàng)	陳煒的法名

孫悟空(Sūnwùkōng)　Monkey King

沙和尚(Shāhéshang)　a monk whose surname is Sha

猪八戒(Zhūbājiè)　a legendary person who looks like a pig

洛陽(Luòyáng)	地名	長安(Chángān)	古地名，今天的西安
印度(Yìndù)	India	爛陀寺(Làntuósì)	Lantuo Temple

《經(Jīng)藏(Zàng)》、 《律(Lǜ)藏(zàng)》、 《論(Lùn)藏(Zàng)》　佛經書名

生詞：

護送(hùsòng)	to escort	取經(qǔjīng)	obtain Holy Scriptures
孤身(gūshēn)	alone	喪(sàng)	to die
貧(pín)	poor	寺廟(sìmiào)	temple
精通(jīngtōng)	to master	皮袋(pídài)	leather bag
經典(jīngdiǎn)	masterpiece	頑强(wánqiáng)	head strong
克服(kèfú)	conquer	虛心(xūxīn)	humble
艱苦(jiānkǔ)	hardships	真諦(zhēndì)	true meaning
講學(jiǎngxué)	give lectures	盛大(shèngdà)	grand
學術(xuéshù)	learning	僧侶(sēnglǚ)	monk/priest
駁倒(bódǎo)	refute	廣泛(guǎngfàn)	widely
稱贊(chēngzàn)	to praise	淵博(yuānbó)	deep and extensive knowledge
空前(kōngqián)	unprecedented	出色(chūsè)	exemplarily
主持(zhǔchí)	preside over		

法名(fǎmíng) religious name one adopts on becoming a Buddhist monk or nun

練習

一 從下面選擇恰當的詞填入上面短文第3段的空格中

着　　了　　過　　的　　得　　地

二 朗讀下列的多音字并組詞。

和(hé)　(　　)	種(zhòng)　(　　)	教(jiāo)　(　　)
和(huó)　(　　)	種(zhǒng)　(　　)	教(jiào)　(　　)

盛(shèng) （　　）　　　　空(kòng) （　　）　　　　朝(cháo) （　　）

盛(chéng) （　　）　　　　空(kōng) （　　）　　　　朝(zhāo) （　　）

會(huì) （　　）　　　　難(nàn) （　　）　　　　藏(cáng) （　　）

會(kuài) （　　）　　　　難(nán) （　　）　　　　藏(zàng) （　　）

三 給下列形似字注音并組詞

喝 （　　）＿＿＿＿　　　厲 （　　）＿＿＿＿　　　辯 （　　）＿＿＿＿

渴 （　　）＿＿＿＿　　　歷 （　　）＿＿＿＿　　　辨 （　　）＿＿＿＿

奘 （　　）＿＿＿＿　　　宙 （　　）＿＿＿＿　　　持 （　　）＿＿＿＿

裝 （　　）＿＿＿＿　　　廟 （　　）＿＿＿＿　　　特 （　　）＿＿＿＿

各 （　　）＿＿＿＿　　　失 （　　）＿＿＿＿　　　孤 （　　）＿＿＿＿

名 （　　）＿＿＿＿　　　矢 （　　）＿＿＿＿　　　狐 （　　）＿＿＿＿

四 有些詞添加了數詞，可以使原詞的程度加强，例如：
辛苦——千辛萬苦。請給下列詞語添加適當的數詞。

清楚＿＿＿＿　　　　拼凑＿＿＿＿　　　　通達＿＿＿＿

干净＿＿＿＿　　　　平穩＿＿＿＿　　　　折扣＿＿＿＿

五 從短文中找出下列詞語的同義詞或近義詞

單身＿＿＿＿　　　　僧侶＿＿＿＿　　　　廟＿＿＿＿

卓越＿＿＿＿　　　　求教＿＿＿＿　　　　乘＿＿＿＿

真理＿＿＿＿　　　　群衆＿＿＿＿　　　　窮＿＿＿＿

六 根據短文內容，從A、B、C或D中選出正確的答案

1 歷史上的唐僧原名叫：　　　　　　　　　　　　　（　　）

A 唐三藏　　　　　　B 玄奘　　　　　　C 三藏法師　　　　D 陳煒

2 歷史上的唐僧去印度是為了：　　　　　　　　　　（　　）

A 去印度最大的爛陀寺　　　　B 學習印度的多種語言

C 看看佛教的發源地　　　　　D 有些疑難問題怎麼也得不到解答

3 歷史上的唐僧在一次盛大的辯論會上受到稱贊的原因是：（　　）

A 會說印度的許多種語言　　　B 有18個國王去

C 沒有人可以駁倒他　　　　　D 學到了佛教的真諦

七 課堂討論與寫作練習

1 上面短文中的唐僧給你留下怎麼樣的印象？你知道《西游記》書中或電視劇中的唐僧是怎麼樣的嗎？

2 《"唐僧取經"給我的啓示》

第六單元　　短文三

話說太極拳

太極拳是中華民族寶貴的文化遺産之一。打太極拳可以增强體質、預防疾病，所以男女老少都喜歡打太極拳。

在中國的武術中，太極拳最富有中國傳統的哲學思想，首先表現在太極拳始終處於運動中。打太極拳的動作從開頭到結尾都是圓的，環環相連，如江河之水滔滔不絶，如春蠶吐絲絲絲不斷。同時，太極拳也是既矛盾又統一的運動。其動作有剛有柔，虛實結合，有動有靜，快慢有序，一切對立但却如此和諧的融爲一體，一氣呵成。

練習打太極拳，要做到靜、松、靈、活、守幾個字。

"靜"，就是心靜，没有雜念，全神貫注；"松"，就是要全身放松、動作自然瀟灑；"靈"，是指理解要正確，感覺要敏捷；"活"，是指動作有變化也有連貫；"守"，就是要守住心氣，穩定重心。

説起來很深奧，實際上學習打太極拳並不是很難的事情。我們可以按照圖片的解釋與説明，先一個動作、一個動作地學，然後一段一段地連起來做，最後就能掌握整套太極拳了。掌握之后，我們就得注意動作的節奏感了。

生命在於運動。打太極拳可以養生保健，讓生命之樹常青。

生詞：

太極拳(tàijíquán)	Tai Chi	體質(tǐzhì)	constitution
防治(fángzhì)	to prevent and cure	疾病(jíbìng)	ailment
武術(wǔshù)	martial art	哲學(zhéxué)	philosophy
蠶(cán)	silkworm	矛盾(máodùn)	contradictory
統一(tǒngyī)	unified	剛(gāng)	rigid
柔(róu)	soft	虛(xū)	emptiness
全神貫注(quánshénguànzhù)	concentrated	靈(líng)	quick
放松(fàngsōng)	relax	連貫(liánguàn)	link up
守住(shǒuzhù)	to hold	穩定(wěndìng)	stable
深奧(shēnào)	deep and difficult	重心(zhòngxīn)	centre of gravity
節奏(jiézòu)	rhythm		

練習

一 朗讀下面的多音字并組詞

少(shào) （ ）	要(yāo) （ ）	重(zhòng) （ ）
少(shǎo) （ ）	要(yào) （ ）	重(chóng) （ ）
曲(qǔ) （ ）	解(jiě) （ ）	傳(chuán) （ ）
曲(qū) （ ）	解(xiè) （ ）	傳(zhuàn) （ ）

二 參考上面的短文，寫出下列詞語的反義詞

和諧＿＿＿	虛＿＿＿	剛＿＿＿
減弱＿＿＿	動＿＿＿	緊＿＿＿
淺顯＿＿＿	頭＿＿＿	連＿＿＿

三 選擇恰當的叠詞填空

迢迢	滔滔	洋洋	重重	念念	絲絲

江水 （ ）	千裏 （ ）	困難 （ ）
喜氣 （ ）	（ ）不斷	（ ）不忘

四 把下面的中文翻譯成英文，英文翻譯成中文

1 太極拳是中華民族寶貴的文化遺産之一。打太極拳可以增強體質、預防疾病，所以男女老少都喜歡打太極拳。

翻譯：＿＿＿＿＿＿＿＿＿＿＿＿＿＿＿＿＿＿＿＿＿＿＿＿＿＿

＿＿＿＿＿＿＿＿＿＿＿＿＿＿＿＿＿＿＿＿＿＿＿＿＿＿

2 Following the illustrations and explanations, we can at first learn each movement separately, and then join each section together, thus finally mastering Taichi.

翻譯：＿＿＿＿＿＿＿＿＿＿＿＿＿＿＿＿＿＿＿＿＿＿＿＿＿＿

＿＿＿＿＿＿＿＿＿＿＿＿＿＿＿＿＿＿＿＿＿＿＿＿＿＿

五 根據短文内容，在下面的A、B、C或D 中選出正確的答案

1 這篇短文主要告訴我們： （　　）

A 人們喜歡太極拳及爲什麽喜歡。　　B 太極拳不難學及怎麽練習。

C 太極拳的原理及怎麽練習。　　D 太極拳的起源及原理。

2 太極拳在中國武術中，最能反映出： （　　）

A 東方的哲學思想。　　B 中國的哲學思想。

C 東方的傳統文化。　　D 中國的傳統文化。

3 短文中"一氣呵成"的意思是： （　　）

A 邊打太極拳邊呼吸。　　B 邊打太極拳邊吐氣。

C 打太極拳時不能吐氣。　　D 打太極拳時不能中斷。

4 其動作有剛有柔，虛實結合，有動有静，快慢有序，是爲了説明：（　　）

A 太極拳是動作非常複雜的運動。　　B 太極拳是矛盾又統一的運動。

C 太極拳是很難學會的一個運動。　　D 太極拳看似複雜其實不難學。

六 根據短文內容，回答下列問題

1 爲什麼中國的男女老少都喜歡打太極拳？

2 打太極拳應該注意什麼？

3 "讓生命之樹常青"這句話在短文中是表示什麼意思？

七 課堂討論與寫作練習

1 談談你平時喜歡怎樣鍛煉身體。

2 《生命在於運動》或者《我最喜歡的體育運動》

第七單元　　短文一

我的夢

中國殘疾人藝術團自1989年成立後，不僅在國內演出過一千多場，還到過40多個國家訪問演出。藝術團主題爲 "我的夢" 的精彩演出，受到各地人們的熱烈歡迎。

舞蹈 "千手觀音" 感動中國，並在雅典殘疾人奧運會的閉幕式上震撼了世界。領舞邰麗華是聾啞人，當她用優美的舞姿，向我們描繪着佛國天堂的時候，你可知道她是用臉貼着地板，從振動中感受到音樂的節拍的？你可知道她究竟流了多少汗水，穿破了多少雙舞鞋？

"始於足下" 的8位舞者都是沒有雙臂的，但他們的舞蹈充滿朝氣，剛勁有力。領舞黃陽光5歲時由於電擊失去雙臂，但他從貧窮的農村一路走上藝術舞臺，展現出殘疾人生命的陽光和希望。

盲人舞蹈 "去看春天"，舉手投足都撥動着每一個觀衆的心弦。

5個獨腿青年5支拐杖，跳起 "生命之翼"，表現出折斷了翅膀仍渴望飛翔的意志。

王雪峰的二胡獨奏，如高山的泉水在流淌，令人心曠神怡。患有軟骨症的他個子很小，被人稱作玻璃娃娃。他說："雖然我的身體像玻璃一樣脆弱，但是我的心和意志像鋼鐵一樣剛強，我願意和觀衆一起，用音樂讓我們的心靈變得純净"。

舟舟從小愛指揮，只要聽到音樂聲起，他就拿起指揮棒舞動起來。雖然今天的舟舟仍只有5歲孩子的智商，也不認識樂譜，但他豐富的感情、出衆的音樂思維，使他的夢想成真，交響樂隊在他的指揮下演奏出一曲曲優美的音樂。

坐着輪椅的歌唱家張佳欣說："生命，總是有夢的，我要做追夢的雲雀"。

每個殘疾人藝術家背後都有一個不普通的故事，他們心中都珍藏着一個夢。中國殘疾人藝術團的演員，展現了殘疾人的尊嚴和頑强的意志。他們用音樂、舞蹈、歌聲向人們訴說着 "我的夢"，向世界傳播着愛與和平的祝福。

專名：

邰麗華(Táilìhuá)	人名	黃陽光(Huángyángguāng)	人名	
王雪峰(Wángxuěfēng)	人名	舟舟(Zhōuzhōu)	人名	
張佳欣(Zhāngjiāxīn)	人名	雅典(Yǎdiǎn)	Athens	

生詞：

殘疾(cánjí)	disabled	成立(chénglì)	establish
藝術團(yìshùtuán)	performance group	演出(yǎnchū)	perform
觀音(guānyīn)	God of Mercy	閉幕式(bìmùshì)	closing ceremony
震撼(zhènhàn)	to shake	領舞(lǐngwǔ)	lead dancer
聾(lóng)	deaf	啞(yǎ)	mute
舞姿(wǔzī)	dance moves	描繪(miáohuì)	depict
振動(zhèndòng)	vibrate	節拍(jiépāi)	rhythm
臂(bì)	arm	足(zú)	foot
朝氣(zhāoqì)	youthful spirit	剛勁(gāngjìng)	physically powerful
電擊(diànjī)	electric shock	撥動(bōdòng)	to toggle
心弦(xīnxián)	heartstrings	拐杖(guǎizhàng)	crutch
渴望(kěwàng)	yearn for	獨奏(dúzòu)	solo performance
流淌(liútǎng)	to flow	玻璃(bōlí)	glass
祝福(zhùfú)	well wishing	脆弱(cuìruò)	fragile
意志(yìzhì)	will	鋼鐵(gāngtiě)	steel
觀眾(guānzhòng)	audience	指揮(zhǐhuī)	to conduct
智商(zhìshāng)	IQ	樂譜(yuèpǔ)	musical score
思維(sīwéi)	thinking	雲雀(yúnquè)	skylark
輪椅(lúnyǐ)	wheelchair	交響樂(jiāoxiǎngyuè)	symphony
普通(pǔtōng)	common; ordinary	珍藏(zhēncáng)	to treasure
演員(yǎnyuán)	performer	尊嚴(zūnyán)	dignity
傳播(chuánbō)	propagate	軟骨症(ruǎngǔzhèng)	rickets
翼(yì)/翅膀(chìbǎng)	wing	二胡(èrhú)	two-stringed Chinese fiddle

練習

一 選字組詞

舞（蹈/滔）	（訪/仿）問	（閑/閉）幕	（優/猶）美
地（版/板）	（充/允）滿	（貪/貧）窮	（折/拆）斷
獨（秦/奏）	（剛/鋼）強	指（輝/揮）	（善/普）通

二 英譯漢

famous singer_____　　outstanding dancer_____　　excellent performer_____

great passion _____　　strong will_____　　beautiful dream_____

三 在上面短文中找出下列詞語的同義詞或近義詞

海內_____　　震動_____　　樂意_____　　講述_____

期望_____　　剛強_____　　表現_____　　一般_____

四 選擇正確的動量詞填空

（動量詞：The verbal measure words indicate the frequency of an action.）

遍　　場　　回　　次　　陣　　趟

1 看了一（　　）演出　　2 寫了五（　　）漢字

2 去過兩（　　）倫敦　　4 吹起一（　　）冷風

5 來過一（　　）愛丁堡　　6 踢了兩（　　）足球

五 根據短文內容，把左邊的詞語和右邊的定義搭配起來

（注意：所給的定義比詞語多）

詞語　　　　　　　　　　定義

1 始於足下　　_____　　A 一抬手、一動腳。

2 舉手投足　　_____　　B 心境開闊，精神愉快。

3 心曠神怡　　_____　　C 心裏空曠，精神不振。

4 充滿朝氣　　_____　　D 從現在開始。

　　　　　　　　　　　　E 充滿力求上進的精神。

六 把下面的中文翻譯成英文，注意加綫的關聯詞

1 藝術團不僅在國內演出過一千多場，還到過40多個國家訪問演出。

翻譯：＿＿＿＿＿＿＿＿＿＿＿＿＿＿＿＿＿＿＿＿＿＿＿＿

2 只要聽到音樂聲起，他就拿起指揮棒舞動起來。

翻譯：＿＿＿＿＿＿＿＿＿＿＿＿＿＿＿＿＿＿＿＿＿＿＿＿

3 雖然我的身體像玻璃一樣脆弱，但是我的心和意志像鋼鐵一樣堅强。

翻譯：＿＿＿＿＿＿＿＿＿＿＿＿＿＿＿＿＿＿＿＿＿＿＿＿

七 根據短文內容，判斷下面的句子對（✓）、錯（X）或文中沒有（沒）

1 邰麗華爲跳好舞蹈流過很多汗，穿破了很多舞鞋。 （　　）
2 黃陽光原來是農村的苦孩子。 （　　）
3 王雪峰因爲個子很小，被人稱作玻璃娃娃。 （　　）
4 張佳欣是因爲受電擊雙腿殘疾。 （　　）
5 張佳欣希望自己能像雲雀那樣唱得動聽，飛得高。 （　　）
6 舟舟很有音樂天賦，五歲就成爲指揮家。 （　　）

八 課堂討論與寫作練習

1 你從中國殘疾人藝術團的演員身上看到了什麼？

2 有人問一位牧師："爲什麼上帝在世界上要安排兩種人：健全人和殘疾人？"牧師回答說："上帝爲了讓殘疾人來幫助健全人，互相激勵。"聯繫上面的短文，寫一篇論說文《殘疾與健全》。

第七單元　　短文二

撿破爛的億萬富翁

　　1981年的春天，在倫敦郊外的一個高級住宅區出現了一個神秘的中國人。他住在一個大莊園裏，卻常在附近走來走去撿破爛。

　　這位英裔華人叫趙泰來，1954年出生於廣東東莞一個名門望族之家。他的曾外祖父是中國近代著名的外交官伍廷芳，祖父和父親在香港行醫。中華人民共和國成立後，趙泰來的父親帶了一家老小回到東莞行醫。文革期間，趙泰來失去父母，15歲的他只能去香港投靠大姨媽。

　　1977年春天，沒有結過婚的姨媽把在香港的房子和收藏品傳給了他，並說："這只是極小部分，我在英國的一個地窖裏存放的財產會讓你大開眼界。我之所以在眾多晚輩中選你做我的財產的唯一繼承人，是因爲你可靠。"

　　到了英國，趙泰來在莊園的角落裏找到了地窖的入口，打開地窖門之后，趙泰來驚呆了！地窖裏堆滿了大大小小難以計數的木箱；再打開靠門口的幾個，裏面全是古書畫、唐卡、玉器、陶瓷、銅器……不知道地窖有多大，也不知道到底有多少箱子。他不敢雇人來清理地窖裏的東西，怕有人會爲搶寶貝而殺了自己，所以只能自己一個人一點點搬，當了十年"螞蟻"。因爲清理收藏品需要包裝泡沫，而在英國買一塊包裝泡沫要4英鎊，爲了省錢就去撿人家扔掉的包裝。所以，每當他看到賣家具的或搬家的就特別高興。不過清理這些寶貝，還是花了他96萬英鎊的包裝費。

　　他打開的真是個寶庫：春秋時代的銅鏡、南朝時代的花瓶、明代的魚缸、還有不同朝代的唐卡，除了布達拉宮收藏的唐卡，其余任何唐卡的都不能與他的相比……

　　趙泰來在妻子的支持下，把5萬件價值8億人民幣的收藏品都捐獻給了中國，以便讓更多的人能夠在博物館裏欣賞到這些無價之寶。

78

專名：

趙泰來(Zhàotàilái)	人名	伍廷芳(Wǔtíngfāng)	人名
東莞(Dōngguǎn)	地名，在廣東省	布達拉宮(Bùdálāgōng)	Potala palace
歐洲(Ōuzhōu)	Europe	明代(Míngdài)	Ming Dynasty 1368-1644
春秋時代(Chūnqiūshídài)		Spring and Autumn 770BC-476BC	
南朝時代(Náncháoshídài)		Southern Dynasty 420-589	

生詞：

撿(jiǎn)	pick up	破爛(pòlàn)	junk
富翁(fùwēng)	wealthy man	郊外(jiāowài)	suburbs
神秘(shénmì)	mysterious	莊園(zhuāngyuán)	manor
近代(jìndài)	modern	外交官(wàijiāoguān)	diplomat
投靠(tóukào)	go and seek refuge	收藏品(shōucángpǐn)	collectable
地窖(dìjiào)	cellar	晚輩(wǎnbèi)	juniors
財産(cáichǎn)	property	繼承人(jìchéngrén)	inheritor
唐卡Thangka(tángkǎ)	Buddhist painting of Tibet	可靠(kěkào)	reliable
瓷器(cíqì)	porcelain，china	雇用(gùyòng)	employ
搶(qiǎng)	rob	包裝(bāozhuāng)	packaging
泡沫(pàomò)	foam	捐獻(juānxiàn)	donate

練習

一 辨別下列同音字并組詞

撿(jiǎn) （　）		密(mì) （　）		清(qīng)（　）	
檢(jiǎn) （　）		蜜(mì) （　）		青(qīng)（　）	
洛(luò) （　）		交(jiāo) （　）		極(jí) （　）	
落(luò) （　）		郊(jiāo) （　）		級(jí) （　）	
園(yuán) （　）		婚(hūn) （　）		磅(bàng)（　）	
圓(yuán) （　）		昏(hūn) （　）		鎊(bàng)（　）	
箱(xiāng)（　）		搬(bān) （　）		博(bó) （　）	
厢(xiāng)（　）		般(bān) （　）		搏(bó) （　）	

二 連接下列意思相同的中、英文詞語，然後選兩個詞語造中文句子

名門望族　　　　　illustrious family

大開眼界　　　　　a priceless treasure

無價之寶　　　　　open one's eyes

造句 1 : _____

造句 2 : _____

三 把下面的"把"字句改寫成被動句

1 姨媽把在香港的房子和收藏品傳給了他。

改寫: _____

2 趙泰來在妻子的支持下，把5萬件價值8億人民幣的藏品都捐獻給了中國。

改寫: _____

四 按照要求，把下列英文句子翻譯成中文

1 Aged 15, he could only go and seek refuge with his aunt in Hong Kong.
(請用"只能"一詞)

翻譯: _____

2 He went to find packaging materials almost everyday. （請用"幾乎"一詞）

翻譯: _____

3 As soon as he saw people selling furniture or moving house he would become especially happy. （請用"一……就……"的句式）

翻譯: _____

五 根據短文內容，在下面的空格內加✓

句子	是	非	文字裏没有
1 趙泰來是1977年去香港的。	——	——	——
2 姨媽終生未嫁，所以把財産分給所有的晚輩了。	——	——	——
3 趙泰來是1981年去英國的。	——	——	——
4 趙泰來清理地窖的包裝材料全都是撿的。	——	——	——
5 他把藏品捐獻給中國是怕人會搶寶貝而殺了自己。	——	——	——
6 他的親戚因爲他把藏品捐獻給中國而生氣。	——	——	——
7 地窖裏的唐卡比布達拉宮裏的還要好。	——	——	——

六 根據短文內容，回答下列問題

1 文中神秘的中國人是誰？爲什麼説他神秘？

2 趙泰來爲什麼從大陸去香港？又爲什麼從香港去英國？

3 姨媽爲什麼把藏品都傳給趙泰來？趙泰來又爲什麼把藏品都捐獻給中國？

七 課堂討論與寫作練習

1 趙泰來把5萬件價值8億人民幣的藏品都捐獻給了中國，你覺得他傻不傻？爲什麼？

2 《〈撿破爛的億萬富翁〉讀後感》

第七單元　　短文三

京城的葫蘆坊

　　京城裏的百工坊是一排典型的明清風格的民居。玉器坊、玻璃坊、葫蘆坊、剪紙坊、京繡坊 …… 每扇門裏無不透出傳統文化的氣息和民間藝術的情趣。特別是葫蘆坊裏的葫蘆世界，讓每個進門來的客人流連忘返。

　　在清朝年間，出現了葫蘆燙畫。葫蘆燙畫主要是以烙痕代替筆墨，在葫蘆表面燙出山水仕女，花鳥魚蟲。這門藝術不僅需要藝術家有很高超的繪畫技巧，還需要他們了解葫蘆本身的特質，同時在運用烙鐵燙畫的時候，還要能够掌握好溫度、快慢、深淺等。

　　葫蘆坊的主人叫季順。他從小就學習繪畫，有很好的東西方文化的藝術修養，所以從他一開始創作葫蘆燙畫，他的作品就受到大家的關注和好評。如今在百工坊，誰都知道葫蘆季。

　　季順説自己喜歡標新立異，用普普通通的葫蘆創作出新穎奇特的造型。一位種葫蘆的農民曾讓一個葫蘆長成天鵝樣。但是如果把這個葫蘆加工成天鵝，頭太小，怎麽也不好看。季順腦子一轉，爲什麽不把它做成一只老鼠呢？完工後，他又在前面添畫了兩個爪子，於是一只“招財鼠”誕生了。如今招財鼠的名氣比葫蘆季還大，好多人專程進京去看它，還有坐飛機千裏迢迢去的呢！

　　他還選出10厘米大小的葫蘆，常常握在手心摩擦，讓它吸取人手上的汗液、油脂。慢慢地，葫蘆表面就會變得如同石頭一般堅硬，這叫“手捻”葫蘆。用這樣的葫蘆燙出來的畫，會給人一種類似雕塑的感覺。

　　“媽媽的吻”、“女人是老虎”等都是他得意的作品，他取的名字既符合造型，又有趣味。

　　葫蘆諧音“護祿”，葫蘆作品作爲一種吉祥物和藝術品，正在被越來越多的人喜愛和珍藏。

專名：

季順(Jìshùn)　　　　人名

生詞：

百工坊(bǎigōngfāng) hundred craftsmen's workshops

仕女(shìnǚ)　　　　traditional Chinese painting of women

坊(fāng)	workshop	葫蘆(húlu)	gourd
剪紙(jiǎnzhǐ)	paper cutting	京绣(jīngxiù)	Beijing embroidery
透(tòu)	pass through	氣息(qìxī)	ambience
燙(tang)	to burn	燙畫(tànghuà)	pyrograph
烙(lào)	to burn	高超(gāochāo)	skilled
技巧(jìqiǎo)	technique	特質(tèzhì)	idiosyncrasy
溫度(wēndù)	temperature	修養(xiūyǎng)	accomplishment
新穎(xīnyǐng)	novelty	天鵝(tiāné)	swan
爪(zhǎo)	claw	招財(zhāocái)	welcome wealth
誕生(dànshēng)	birth	專程(zhuānchéng)	special trip
迢迢(tiáotiáo)	far away	摩擦(mócā)	to rub
汗液(hànyè)	sweat	油脂(yóuzhī)	sebum
諧音(xiéyīn)	similar tones	護祿(hùlù)	protect money

練習

一 辨別下列形似字并組詞

剪(jiǎn) （　　　）　　　仿(fǎng) （　　　）　　　透(tòu) （　　　）

煎(jiān) （　　　）　　　坊(fāng) （　　　）　　　绣(xiù) （　　　）

扇(shàn) （　　　）　　　季(jì) （　　　）　　　磨(mó) （　　　）

肩(jiān) （　　　）　　　李(lǐ) （　　　）　　　摩(mó) （　　　）

二 根據短文內容，搭配左邊的詞語和右邊的定義

（注意：所給的定義比詞語多）

詞語	定義
1 標新立異	A 新奇不一般。
2 新穎奇特	B 提出和別人不一樣的的新奇主張。

3 身手不凡　　　　　　　C 外貌不平凡。
4 流連忘返　　　　　　　D 本領不一般。
　　　　　　　　　　　　E 捨不得離開。

三 選詞填空

氣息　　　　修養　　　　名氣　　　　專程　　　　珍藏

1 英國的很多地方有着濃郁的鄉村（　　　　）。

2 英國的很多大學（　　　　）很大。

3 很多人（　　　　）到倫敦的劇院看演出。

4 她的箱子裏一直（　　　　）和朋友們一起拍攝的照片。

5 他從兩歲起就學習拉二胡，民族音樂的（　　　　）非常好。

四 漢語裏把字詞的讀音相同或者相似叫作"諧音"，例如："葫蘆"與"護祿"。現在請你在下面句子的空格上填寫恰當的諧音字。

1 春節中國人的餐桌上要有魚，爲祈求"年年有＿＿＿"。
2 過年中國人要吃年糕，祈求"步步＿＿＿升"。
3 樣子並不好看的蝙蝠卻是中國畫的好題材，因爲可以表示"＿＿＿如東海"。
4 廣告商説送女友一條珍珠項鏈是"＿＿＿情流露"。
5 廣東人喜歡吃髮菜，希望吃了能"發＿＿＿"。
6 金秋時節，很多華人家庭會在客廳放一盆桔樹以求"大＿＿＿大利"。
7 在新婚的床上擺放棗子、花生、桂圓和瓜子，以求"＿＿＿"。
8 長輩生日，送禮不可以是鐘，因爲與"送＿＿＿"諧音。

五 雙重否定句可以加強肯定的意思，例如：

每扇門裏無不透出傳統文化的氣息、民間藝術的情趣，就是強調"每扇門都透出傳統文化的氣息、民間藝術的情趣。"

請你將下列的句子改寫成雙重否定句。

1 在百工坊，誰都知道葫蘆季。

改寫：＿＿＿＿＿＿＿＿＿＿＿＿＿＿＿＿＿＿＿＿＿＿＿＿＿＿

2 走進葫蘆坊，每個踏進門來的客人都流連忘返。

改寫：＿＿＿＿＿＿＿＿＿＿＿＿＿＿＿＿＿＿＿＿＿＿＿＿＿＿

3 《悄悄話》、《媽媽的吻》、《女人是老虎》等都是他的得意之作。

改寫：＿＿＿＿＿＿＿＿＿＿＿＿＿＿＿＿＿＿＿＿＿＿＿＿＿＿

六 把下面的英文翻譯成中文、中文翻譯成英文
1 As soon as Mr Ji started to create pyrographs on gourds, he received attention and critical acclaim from everyone.

翻譯：＿＿＿＿＿＿＿＿＿＿＿＿＿＿＿＿＿＿＿＿＿＿＿＿＿＿
2 If the gourd were made into a swan, the head would be too small, and be unattractive no matter how hard one tried.

翻譯：＿＿＿＿＿＿＿＿＿＿＿＿＿＿＿＿＿＿＿＿＿＿＿＿＿＿
3 招財鼠的名氣比葫蘆季還大。

翻譯：＿＿＿＿＿＿＿＿＿＿＿＿＿＿＿＿＿＿＿＿＿＿＿＿＿＿
4 因爲葫蘆作品是吉祥物又是藝術品，所以被越來越多的人喜愛和珍藏。

翻譯：＿＿＿＿＿＿＿＿＿＿＿＿＿＿＿＿＿＿＿＿＿＿＿＿＿＿

七 根據短文內容，回答下列問題
1 京城的百工坊裏有些什麼中國傳統民間工藝？
2 葫蘆季是誰？他的作品有什麼特點？
3 要具備哪些條件才能掌握好葫蘆燙畫這門藝術？
4 爲什麼"手捻"葫蘆上的燙畫有雕塑的質感？

八 課堂討論與寫作練習
1 談談各國的民間藝術。可帶些圖片或實物，結合事先寫好的提綱到班上作介紹交流。
2 選擇一件你熟悉或喜愛的民間藝術品，寫一篇題爲《有趣的XX》的短文。

第八單元　　短文一

漫談廣告

現代人每時每刻都被廣告包圍着，根據統計，現在一個人一天接觸到的廣告平均有200條左右。這數字是驚人的，只是人們對廣告已經熟視無睹，幾乎到了麻木的地步。

《水滸傳》中打虎英雄武松上景陽崗，路過的酒店前有一面酒旗"三碗不過崗"。因此酒店遠近聞名，生意特別興旺；廣告片中美國西部的風光和粗獷的牛仔形象讓"萬寶路"的銷量占世界全部香烟銷量的四分之一；芙蓉牌肥皂廠停產了，2800噸的肥皂堆積在倉庫。"我家沒有洗衣機，只用肥皂"，一個農民工的一句話，促使工廠的推銷員去農村山區做調查。調查發現，農民需要肥皂，可是他們不知道芙蓉牌。於是該廠在多家報刊上大做廣告。結果，訂單接二連三地來，庫存肥皂全部賣掉了，工廠有了生路。

廣告的效果是明顯的。那麼廣告是怎麼發揮作用的呢？

首先要讓廣告的内容通過各種各樣的報刊、電視、電臺、網絡、標語等途徑傳送到消費者那兒，由於廣告色彩鮮艷、畫面生動、詞句簡明好記，常會引起人們的注意；其次人們通過廣告對其商品有所了解並產生好感；最後就進入行動階段——掏錢購買。

設計廣告首先得迎合消費者的心理，如"今年二十，明年十八"，這家護膚用品公司摸透了人們想要保持青春的心理。了解宗教文化、民俗傳統也是很重要的。比利時商人利用穆斯林經常面向麥加朝拜的宗教習俗，巧妙地把指南針設計在教徒日常祈禱用的地毯中。"你永遠向着麥加"，這個產品一上市就被搶購一空，當然，商人也發財了。而有一家外國啤酒商曾得意洋洋地要把推向上海市場的新啤酒命名爲"柏子"，卻遭到上海合作者的反對。外國啤酒商認爲自己很懂中國文化，中國人以松柏常青象徵長命百歲，卻不知道上海話"柏子"是"白痴"的諧音。

廣告是一門大學問。在市場全球化的今天，廣告在各行各業的發展中正起着舉足輕重的作爲受到越來越多的關注。

專名：

《水滸傳(Shuǐhǔzhuàn)》	書名	景陽崗(Jǐngyánggǎng)	地名
武松(Wǔsōng)	人名	萬寶路(Wànbǎolù)	Marlborough
芙蓉牌(Fúróngpái)	soap brand	比利時(Bǐlìshí)	Belgium
穆斯林(Mùsīlín)	Muslim	麥加(Màijiā)	Mecca

生詞：

漫談(màntán)	chat	廣告(guǎnggào)	advertisement
統計(tǒngjì)	statistics	英雄(yīngxióng)	hero
崗(gǎng)	hillock	粗獷(cūguǎng)	rugged
牛仔(niúzǎi)	cowboy	銷量(xiāoliàng)	sales volume
倉庫(cāngkù)	warehouse	肥皂(féizào)	soap
推銷(tuīxiāo)	sales promotion	訂單(dìngdān)	order
生路(shēnglù)	a way out	電臺(diàntái)	radio station
標語(biāoyǔ)	slogan	網絡(wǎngluò)	world wide web
消費(xiāofèi)	consume	宗教(zōngjiào)	religion
祈禱(qídǎo)	pray	合作(hézuò)	cooperate
松柏(sōngbǎi)	pine and cypress		

練習

一 用下列的多音字組成詞或詞組

得(de)＿＿＿	的(de)＿＿＿	地(de)＿＿＿	着(zhe)＿＿＿
得(dé)＿＿＿	的(dì)＿＿＿	地(dì)＿＿＿	着(zhuó)＿＿＿
得(děi)＿＿＿	的(dí)＿＿＿		着(zháo)＿＿＿

二 讀拼音寫漢字

jiēchù	shāngǎng	mùdǔ	cūguǎng
＿觸	山＿	目＿	粗＿
xiāoliàng	féizào	tújìng	diàochá
銷＿	肥＿	途＿	＿查
xiānyàn	tāoqián	xiāofèi	qídǎo
鮮＿	＿錢	消＿	祈＿
cháobài	píjiǔ	niúzǎi	tǒngjì
朝＿	＿酒	牛＿	＿計

三 把左邊的詞語和右邊的定義搭配起來（注意：所給的定義比詞語多）

詞語	定義
1 白痴	A 美國西部片中的人物。
2 牛仔	B 買賣貨物的人。
3 商人	C 買賣啤酒的人。
4 農民工	D 花錢買東西的人。
5 消費者	E 爲了生産和生活需要花錢買東西的人。
6 穆斯林	F 管理森林樹木的人。
7 啤酒商	G 智力低下動作緩慢語言不清的人。
8 合作者	H 身份是農民卻在工廠工作的人。
	I 信奉伊斯蘭教的人。
	J 爲了共同的目的一起工作的人。

四 英譯漢

Christian＿＿＿＿＿   Buddhist＿＿＿＿＿

Taoist＿＿＿＿＿   Muslim＿＿＿＿＿

五 連接下面意思相同的中、英文詞語

得意洋洋(déyìyángyáng)	pay no attention to a familiar sight
熟視無睹(shúshìwúdǔ)	hold the balance
舉足輕重(jǔzúqīngzhòng)	elation

六 漢譯英

1 根據統計，現在一個人一天接觸的廣告平均有200條左右。

翻譯：＿＿＿＿＿＿＿＿＿＿＿＿＿＿＿＿＿＿＿＿＿＿＿＿＿＿＿＿＿＿＿＿＿

2 廣告的内容通過各類報刊、電視臺、電臺、網絡、標語等途徑傳送到消費者那兒。

翻譯：＿＿＿＿＿＿＿＿＿＿＿＿＿＿＿＿＿＿＿＿＿＿＿＿＿＿＿＿＿＿＿＿＿

3 了解宗教文化、民俗傳統和消費者的心理是很重要的。

翻譯：＿＿＿＿＿＿＿＿＿＿＿＿＿＿＿＿＿＿＿＿＿＿＿

七 根據短文內容，在正確的句子旁的括號內打上√

1 景陽崗前的酒店生意特別好是因爲打虎英雄武松去喝了酒。　　（　　）
2 廣告設計需要了解消費者心理。　　（　　）
3 人們一看廣告就會掏錢購買廠家的商品。　　（　　）
4 芙蓉肥皂廠堆積在倉庫的肥皂能够賣掉可見廣告的力量。　　（　　）
5 比利時啤酒商很了解中國的文化。　　（　　）

八 課堂討論與寫作練習

1 說說下列的廣告詞是什麽產品的廣告。你覺得哪條廣告寫得好？爲什麽？
1)　"千裏之行，始於足下"
2)　"孔府家酒，叫人想家"
3)　"要想身體好，請飲健力寶"。
4)　"小白兔高級兒童牙膏，愛、愛、愛，兒童喜愛！"
5)　"任勞任怨，只要還剩一口氣。"

2 你在學校成立了一個"青年企業集團"，你和同學們通過賣自制糕點和自制聖誕卡等爲殘疾兒童籌款。現在請你爲自己的集團公司創造一個廣告，可以是幾句廣告詞，也可以一個影視廣告短片。

（籌款(chóukuǎn)：to raise money）

第八單元　　短文二

包裝

廠家生產出來的產品，先要經過"梳妝打扮"，有一個引人注目的"外貌"之後再把它投入消費市場，這時它才成為"商品"。這一"梳妝打扮"的簡單說法就是"包裝"。（1）市場的需要，形象設計師這工作就應運而生。

合格的形象設計師必然是一個善於把美商業化的人，他/她必須眼觀六路、耳聽八方，（2）准確地預測出市場的審美趨勢，准確地把握住消費者的消費心理。海報的精心制作、廣告詞的仔細推敲以及書籍封面的設計都反映了"包裝"意識。有的出版社為了推出一本暢銷書，利用輿論在報刊上對其進行一番"包裝"，（3）會用假批評真幫忙的手法，引發人們的好奇心去購買。歌星的出名更離不開音像公司的形象設計師的"包裝"：氣質的培養、服裝的設計、舞臺的造型等等，直至演出成功，獲得可喜利潤之後，這個"包裝"才算成功。實際上，各國政要出現在公衆場合或電視機前都是經過"包裝"的，除了要專門化妝外，舉止表情和聲調語氣等都有形象設計師指導。英國首相布萊爾用在護膚化妝上的花費是英國婦女平均水平的兩倍；愛爾蘭總理埃亨的化妝品比女人多得多；意大利總理貝盧斯科尼（4）得到選民的支持，甚至去做了一番"改頭換面"：整容、植髮甚至抽脂。

"包裝"出來的各種各樣的形象常常遠離真實，充斥在我們可以感覺到的每一個角落。今天，我們實際上已經生活在一個"形象"的世界。這個世界使我們陷入一個烏托邦，真實世界慢慢地離我們遠了。

專名：

布萊爾(Bùláiěr)	Blair (British Prime Minister)
愛爾蘭(Àiěrlán)	Ireland
埃亨(āihēng) O'Hern	Former Irish Prime Minister
意大利(Yìdàlì)	Italy
貝盧斯科克(Bèilúsīkēkè)	Berlusconi (Former Italian Prime Minister)

生詞：

打扮(dǎban)	dress up	合格(hégé)	qualified
梳妝(shūzhuāng)	make up	形象(xíngxiàng)	image; form
設計師(shèjìshī)	stylist; designer	預測(yùcè)	predict
審美(shěnměi)	taste	趨勢(qūshì)	trend
把握(bǎwò)	to grasp	心理(xīnlǐ)	psychology
海報(hǎibào)	poster	出版(chūbǎn)	publish
意識(yìshí)	awareness	暢銷(chàngxiāo)	best selling
輿論(yúlùn)	public opinion	激發(jīfā)	arouse
音像(yīnxiàng)	audiovisual	公司(gōngsī)	company
氣質(qìzhì)	demeanor	獲得(huòdé)	to gain
利潤(lìrùn)	profit	表情(biǎoqíng)	expression
護膚(hùfū)	skin care	政要(zhèngyào)	important politician
聲調(shēngdiào)	tone	語氣(yǔqì)	tone
選民(xuǎnmín)	voter	整容(zhěngróng)	face lift
抽脂(chōuzhī)	liposuction	植髮(zhífà)	hair implantation
充塞(chōngsè)	fill up	陷入(xiànrù)	fall into
烏托邦(wūtuōbāng)	utopia		

練習一

一 選擇正確的詞語填寫到上面短文的空格中

爲了	由於	甚至	以便

二 讀拼音寫漢字

zhìzào	shūzhuāng	wàimào	shěnměi
___造	梳___	外___	___美

qūshì	shūjí	chūbǎn	chàngxiāo
___勢	書___	出___	暢___

yúlùn	qìzhì	lìrùn	hùfū
___論	氣___	利___	護___

zhífà	chōuzhī	chōngsè	xiànrù
___髮	___脂	充___	___入

三 英譯漢

commercialisation_____   trend_____

dress and make up_____   to make up_____

skincare_____   face-lift_____

hair implantation_____   liposuction_____

四 漢譯英

政要_____   選民_____   首相_____

政治_____   選舉_____   大臣_____

總理_____   總統_____   市長_____

部長_____   主席_____   議員_____

五 閲讀上面短文，按照例子，把左邊的詞語和右邊的定義搭配起來

（注意：所給的定義比詞語多）

詞語		定義
1 應運而生	_____	A 反復考慮事情、文字等是否恰當或可行。
2 仔細推敲	_____	B 因爲運氣好而生活好。
3 改頭換面	_____	C 從頭到脚徹底改變了外貌。
4 烏托邦	_____	D 因爲需要而適時地出現了。
		E 空想出來的美好社會。

六 根據短文内容回答下列問題

1 "梳妝打扮"、"外貌"、"商品"、"包裝"等詞爲什麼要用引號？

2 "眼觀六路、耳聽八方"的本意是什麼？在短文中爲了説明什麼？

3 有的出版社爲了推出一本暢銷書，通常采取什麼方法？

4 意大利總理是怎麼樣"改頭換面"的？他爲什麼要改頭換面？

5 真實世界怎麼會慢慢地離我們遠了？

七 課堂討論與寫作練習

1 中國有句古話，説是"人要衣裝，佛要金裝"，你知道這是什麼意思嗎？聯繫剛學過的短文《包裝》，談談你對這句話的看法。

2 《也談"包裝"》或《我對"人造美女"的看法》

第八單元　　短文三

淺談互聯網

　　互聯網也常稱作網絡，它作爲傳播信息和人際交往的新工具，正在迅速地改變着現代人的生活方式。當你拿起3G電話或者收發電子郵件的時候，遠在千裏之外的朋友好像就在你面前。通過上網瀏覽電子報刊，你便能"秀才不出門便知天下事"；通過上網你可以進入旅游天地，全球名勝古跡任你游；通過上網你可以去網上書城、網上書海，書報雜志任你讀；通過上網，你可以去超級市場，吃的、用的、穿的、玩的任你選；此外，遠程教學、聊天室、鵲橋會 …… 各種網站無所不能，應有盡有。

　　那麼，什麼是互聯網？互聯網又意味着什麼？

　　"互聯網"泛指由多個計算機網絡相互連接而成的一個網絡，它是在功能和邏輯上組成的一個大型網絡。首先互聯網是全球性的，無論哪個國家或某一個集團，都無法通過某種技術手段來控制互聯網，只能選擇參加或者不參加互聯網；其次，因爲互聯網上的每一臺主機都需要"地址"，所以要有一個固定的機構來爲每一臺主機確定名字，並要保證絕對不能出現同樣的名字；再次，互聯網需要有一個機制來制定交往規則，所有的主機都必須遵守這個規則，否則全球所有不同的電腦和操作係統就不可能建立起大家都可以通用的互聯網。

　　把互聯網看成是電腦之間的連接是不對的，因爲互聯網是電腦使用者的聯係。有趣的是："電腦"(Computer)和"交流"(Communication)，都有相同的詞根："com"（共、全、合、與等等）。古英語的"Communicate"，就有"參與"的意思。

　　互聯網延伸了人的感覺器官，使人們的生活日益豐富。當我們享受着高科技給我們的生活帶來的方便和無窮樂趣時，互聯網在不知不覺中已經成爲了我們生活的一部分。然而，究竟是人類主宰網絡，還是網絡主宰人類？這將是我們要面對的問題。

生詞：

淺談(qiǎntán)	elementary introduction	人際(rénjì)	human interaction
瀏覽(liúlǎn)	browsing		
秀才(xiùcái)	scholar (one who passed the imperial examination at county level)		
鵲橋(quèqiáo)	Magpie Bridge over the Milky Way		
遠程(yuǎnchéng)	long distance	聊天(liáotiān)	to chat
計算機(jìsuànjī)	computer	功能(gōngnéng)	function
邏輯(luójí)	logic	某(mǒu)	certain
集團(jítuán)	group	手段(shǒuduàn)	method
控制(kòngzhì)	to control	主機(zhǔjī)	CPU (central processing unit)
固定(gùdìng)	fixed	機構(jīgòu)	institution
絕對(juéduì)	definite	機制(jīzhì)	mechanism
制定(zhìdìng)	establish	操作(cāozuò)	operate
延伸(yánshēn)	extend	器官(qìguān)	organ
主宰(zhǔzǎi)	dominate		

練習

一 讀拼音寫漢字

liúlǎn	wǎngluò	shūjí	liáotiān
___覽	網___	書___	___天
yuèlǎnshì	liánluò	guójí	xiánliáo
閱___室	___絡	___籍	___聊
luójí	quèqiáo	zūnshǒu	zhǔzǎi
___輯	___橋	___守	主___
biānjí	xǐquè	zūnzhào	zǎishā
編___	___鵲	遵___	宰___

二 英譯漢

browse_____   website_____   operate_____

e-mail_____   address_____   logic_____

long distance_____   extend_____   functionn_____

machine-processed_____   host computer_____   organisation_____

三 "某", certain; some。作爲指示代詞,可以指一定的人或事物(知道名稱而不説出;也可指不定的人或事物)。請嘗試把下列詞語翻譯成帶以 "某" 字開頭的中文

at a certain date_____   a certain place in China_____

a certain lifestyle_____   to some level_____

a certain chat room_____   a certain website_____

四 按照要求,把下面的英文翻譯成中文

1 Regardless of which country or which group, there is no certain method to control the internet, unless one does not join the internet at all. (無論……都……)

翻譯: _____

_____

2 Whilst we have been enjoying the endless joy brought on by our high tech way of life, unconsciously the internet has become a part of our lives. (當……時候)

翻譯: _____

_____

3 In the end is it humans that dominate the web, or is it the web that dominates us? (是……還是……)

翻譯: _____

五 根據短文内容，判斷下面的句子"對"或"錯"，并從文中找出其理由

1 現代人的生活方式因爲有了網絡而快速地被改變着。 （　　）

原因：_____

2 有的國家運用某種科技手段來控制互聯網。 （　　）

原因：_____

3 通過網絡，人們可以接受文化教育。 （　　）

原因：_____

4 網絡在某種程度上使我們成了"千裏眼"、"順風耳"。 （　　）

原因：_____

六 根據短文内容，回答下列問題

1 短文中引用"秀才不出門，能知天下事"這句話是爲了説明什麽?

2 你知道"鵲橋會"是什麽類型的網站?

3 "互聯網"的定義是什麽? 用一個成語來總結它給我們生活帶來了怎麽樣的變化?

七 課堂討論與寫作練習

1 你覺得將來的世界會是人類主宰網絡，還是網絡主宰人類? 爲什麽?

2 《互聯網的利與弊》

第九單元　　短文一

羅貫中與《三國演義》

　　元末明初，是一個充滿民族矛盾和階級矛盾的年代。元朝蒙古貴族的殘酷統治，激起了全國人民的反抗，力圖推翻元朝統治的鬥爭如火如荼。

　　羅貫中是那個時代一位傑出的小説家，他根據《三國志》提供的歷史綫索和歷史人物，查閱了大量的歷史資料，吸取了民間傳説的豐富營養，在結合自己參加元末農民起義軍的生活經歷的基礎之上，完成了75萬字的巨著《三國演義》。

　　作者在作品中生動地再現了魏、蜀、吳三國間的政治和軍事鬥爭歷史；細致地刻畫了各國封建統治集團之間如何爭奪權力、公開厮殺、暗裏算計；揭示了農民在走投無路的情況下，只有紛紛起義的歷史背景和原因。

　　《三國演義》成功地塑造了一大批栩栩如生的典型人物：善用權謀、陰險多疑的曹操，足智多謀、忠誠儒雅的諸葛亮，勇猛粗獷、粗中有細的張飛，機智好勝、心胸狹隘的周瑜等。

　　《三國演義》不僅在中國家喻户曉，婦孺皆知，還被翻譯成十多個國家的文字。在國外，該書被稱爲"一部真正具有豐富人民性的傑作"。羅貫中在中國文學發展史上寫下了光輝的一頁；《三國演義》也成爲世界文學的寶庫中的瑰寶。

專名：

羅貫中(Luóguànzhōng)	人名	《三國演義(Sānguóyǎnyì)》	書名
《三國志(Sānguózhì)》	書名	魏(Wèi) Kingdom of Wei（220-265）	
曹操(Cáocāo)	人名	諸葛亮(Zhūgěliàng)	人名
張飛(Zhāngfēi)	人名	蜀(Shǔ) Kingdom of Shu（221-263）	
吳(Wú)Kingdom of Wu（222-280）		周瑜(Zhōuyú)	人名
三國(Sānguó)	Three Kingdoms		

生詞：

階級(jiējí)	class	矛盾(máodùn)	controversy
貴族(guìzú)	aristocrat	統治(tǒngzhì)	to rule
反抗(fǎnkàng)	resist	推翻(tuīfān)	overthrow
綫索(xiànsuǒ)	clue	查閱(cháyuè)	consult a book
吸取(xīqǔ)	absorb	傳説(chuánshuō)	legend
起義(qǐyì)	insurgence; uprising	細致(xìzhì)	meticulous
刻畫(kèhuà)	portray	爭奪(zhēngduó)	fight for
權力(quánlì)	power	廝殺(sīshā)	fight at close hand
算計(suànjì)	to plot	揭示(jiēshì)	to review
背景(bèijǐng)	background	權謀(quánmóu)	a plot to take power
陰險(yīnxiǎn)	sinister	多疑(duōyí)	suspicious
勇猛(yǒngměng)	valour	儒雅(rúyǎ)	scholarly and refined
機智(jīzhì)	wittiness	好勝(hàoshèng)	competitive
心胸(xīnxiōng)	breadth of mind	狹隘(xiáài)	narrow
孺(rú)	child	瑰寶(guībǎo)	rarity

練習

一 辨別下列形似字然後組詞

末(mò)	（　）	抗(kàng)	（　）	義(yì)	（　）
未(wèi)	（　）	杭(háng)	（　）	叉(chā)	（　）
因(yīn)	（　）	荼(tú)	（　）	陰(yīn)	（　）
困(kùn)	（　）	茶(chá)	（　）	陽(yáng)	（　）

瑜(yú) (　　)　　　　　儒(rú) (　　)　　　　　獷(guǎng) (　　)

喻(yù) (　　)　　　　　儒(rú) (　　)　　　　　曠(kuàng) (　　)

二 連接下面意思相同的中、英文詞語

如火如荼(rúhuǒrútú)　　　　　　　　in an imposing array

走投無路(zǒutóuwúlù)　　　　　　　clever and resourceful

足智多謀(zúzhìduōmóu)　　　　　　to go down a dead alley

粗中有細(cūzhōngyǒuxì)　　　　　　narrow minded

心胸狹隘(xīnxiōngxiáài)　　　　　　there is finesse in someone's roughness

家喻户曉(jiāyùhùxiǎo)　　　　　　known even to women and children

婦孺皆知(fùrújiēzhī)　　　　　　　widely known

三 用下列詞語造句

如火如荼　　　　　家喻户曉／婦孺皆知　　　　　走投無路

造句＿＿＿＿＿＿＿＿＿＿＿＿＿＿＿＿＿＿＿＿＿＿＿＿＿＿＿＿＿

造句＿＿＿＿＿＿＿＿＿＿＿＿＿＿＿＿＿＿＿＿＿＿＿＿＿＿＿＿＿

造句＿＿＿＿＿＿＿＿＿＿＿＿＿＿＿＿＿＿＿＿＿＿＿＿＿＿＿＿＿

四 英譯漢

1　Cao Cao united Northern China.

翻譯：＿＿＿＿＿＿＿＿＿＿＿＿＿＿＿＿＿＿＿＿＿＿＿＿＿＿＿＿

2　Narrow minded Zhou Yu was a marshal of the Kingdom of Wu.

翻譯：＿＿＿＿＿＿＿＿＿＿＿＿＿＿＿＿＿＿＿＿＿＿＿＿＿＿＿＿

3　Intelligent Zhu Geliang was a military counsellor of the Kingdom of Shu。

翻譯：＿＿＿＿＿＿＿＿＿＿＿＿＿＿＿＿＿＿＿＿＿＿＿＿＿＿＿＿

4　Rugged Zhang Fei was a general of the Kingdom of Shu.

翻譯：＿＿＿＿＿＿＿＿＿＿＿＿＿＿＿＿＿＿＿＿＿＿＿＿＿＿＿＿

五 根據短文內容，判斷下列句子對（✓）、錯（X）或文中沒有（沒）

1 《三國演義》是一本小説，也是一本歷史書。　　　　　　　　（　　）

2 《三國演義》生動地再現了魏、蜀、越之間的政治和軍事鬥争歷史。（　　）

3 作者羅貫中參加過農民起義。　　　　　　　　　　　　　　　（　　）

4 心胸狹隘的周瑜最後吐血而死。　　　　　　　　　　　　　　（　　）

5 《三國演義》在國外受到極大好評。　　　　　　　　　　　　（　　）

六 根據短文內容，回答下列問題

1 《三國演義》與《三國志》之間是什麼關係？書中寫的是哪三國？

2 諸葛亮姓什麼？他的名字在中國民間成爲哪個形容詞的代稱？

3 請介紹元末明初農民紛紛起義的真實歷史背景和原因。

4 《三國演義》在國外得到什麼評價？

七 課堂討論與寫作練習

1 課前先閱讀一本自己國家的歷史小説，然後寫好故事提綱，在班上作介紹。

2 《我遇見了XX》

這個XX一定要是一個歷史人物。

第九單元　　短文二

元曲簡介

不少人都知道唐詩、宋詞、元曲和明清小說的輝煌。現實主義詩人杜甫和浪漫主義詩人李白、豪放派詞人蘇東坡和婉約派詞人李清照被稱作唐宋詩詞的頂峰。那麼元曲呢？

蒙古人統一中國後，給漢人以極其不平等的待遇，尤其是讀書人，他們的地位急劇下降，甚至到了七匠、八娼、九儒、十丐的地步了。中國傳統文化陷入了黑暗時期，然而被前人看不起的民間文學，卻大大地發展起來並形成一種可以歌唱的新興文學——元曲。

元曲包括兩個部份：一是散曲，一是雜劇。散曲可以說是元代的新體詩，雜劇是元代的歌劇；散曲可以獨立，同時又是元代歌劇的主要部份，雙方關係非常密切。

"枯藤老樹昏鴉／小橋流水人家／古道西風瘦馬／夕陽西下／斷腸人在天涯。"馬致遠這首散曲，描繪的是路上行人同時也是一代知識分子的心境。

自稱"我是個蒸不爛、煮不熟、捶不扁、炒不爆、響當當一粒銅豌豆"的劇作家關漢卿，熟讀儒家經典，又熟悉普通人的市井生活，也善於吸收民間文化的營養。《竇娥冤》是他雜劇創作的代表。一個窮苦的弱女子——竇娥，被無賴誣陷，又被官府判了斬刑，蒙受了巨大的冤屈，她悲憤地唱道："地也，你不分好歹何為地！天也，你錯勘賢愚枉為天！"《竇娥冤》反映出社會的黑暗和官府的罪惡讓百姓走投無路的悲慘遭遇。

除了關漢卿外，元朝的王實甫、白樸等也為元曲譜寫過偉大的篇章。而元雜劇，奠定了中國戲曲藝術的基礎，標志着中國戲劇走向成熟。

專名：

杜甫(Dùfǔ)	人名	李白(Lǐbái)	人名
蘇東坡(Sūdōngpō)	人名	李清照(Lǐqīngzhào)	人名
馬致遠(Mǎzhìyuǎn)	人名	關漢卿(Guānhànqīng)	人名
《竇娥冤(Dòuéyuān)》	元雜劇名	王實甫(Wángshífǔ)	人名
白樸(Báipǔ)	人名	元代(Yuándài) Yuan Dynasty (1279 – 1368)	

生詞：

婉約派(wǎnyuēpài)	graceful style	殘酷(cánkù)	cruel
待遇(dàiyù)	treatment	急劇(jíjù)	rapidly
娼(chāng)	prostitute	丐(gài)	beggar
枯(kū)	wither	新興(xīnxīng)	new and developing
鴉(yā)	crow	斷腸(duàncháng)	heartbroken
捶(chuí)	to beat	豌豆(wāndòu)	peas
無賴(wúlài)	hooligan	市井(shìjǐng)	marketplace, low society
誣陷(wūxiàn)	frame a case against	官府(guānfǔ)	feudal office
斬刑(zhǎnxíng)	beheading	冤屈(yuānqū)	injustice
勘(kān)	investigate	枉(wǎng)	to wrong
賢(xián)	virtuous person	悲慘(bēicǎn)	tragic
遭遇(zāoyù)	befall	奠定(diàndìng)	establish
元曲(yuánqǔ)	lyrics to be sung or recited as poetry (Yuan dynasty)		
現實主義(xiànshízhǔyì)	realism		
浪漫主義(làngmànzhǔyì)	romanticism		
豪放派(háofàngpài)	bold and unconstrained style		

練習

一 讀拼音寫漢字

huīhuáng	làngmàn	háofàng	wǎnyuē
輝___	浪___	___放	___約
cánkù	jíjù	xiànrù	kūténg
殘___	急___	___入	___藤
xīyáng	shòumǎ	wāndòu	wúlài
___陽	___馬	___豆	無___

wūxiàn	yuānqū	zhǎnxíng	bēifèn
＿陷	＿屈	斬＿	悲＿

bēicǎn	diàndìng	pǔxiě	zāoyù
悲＿	＿定	＿寫	＿遇

二 從短文中找出下列詞語的反義詞

浪漫＿＿＿　　　婉約＿＿＿　　　緩慢＿＿＿

上升＿＿＿　　　低谷＿＿＿　　　陌生＿＿＿

三 英譯漢

opera＿＿＿　　　drama＿＿＿　　　modern drama＿＿＿

tragedy＿＿＿　　comedy＿＿＿　　ballet＿＿＿

theatre＿＿＿　　composer＿＿＿　　stage＿＿＿

四 把下列的被字句改寫成"把"字句

1 一個窮苦的弱女子——竇娥，被無賴誣陷，又被官府判斬刑。

改寫：＿＿＿＿＿＿＿＿＿＿＿＿＿＿＿＿＿＿＿＿＿＿

2 豪放派詞人蘇東坡和婉約派詞人李清照被人們稱作宋詞的頂峰。

改寫：＿＿＿＿＿＿＿＿＿＿＿＿＿＿＿＿＿＿＿＿＿＿

五 先參考短文中相關句式，然後自己造中文句子

1 以至 down to; up to;

造句：＿＿＿＿＿＿＿＿＿＿＿＿＿＿＿＿＿＿＿＿＿＿

2 既……也…… as well as

造句：＿＿＿＿＿＿＿＿＿＿＿＿＿＿＿＿＿＿＿＿＿＿

3 除了……也…… besides; in addition to

造句：＿＿＿＿＿＿＿＿＿＿＿＿＿＿＿＿＿＿＿＿＿＿

六 根據短文內容，判斷下面的句子"對"或"錯"，并從文中找出相應的理由

1 元朝時讀書人的地位連娼妓都不如。　　　　　　　對　　　　錯

因爲：＿＿＿＿＿＿＿＿＿＿＿＿＿＿＿＿＿。　　＿＿　　＿＿

2 元朝時人們看不起民間文學。

因爲： _____。 ____ ____

3 元曲就是中國早期的歌劇。

因爲： _____。 ____ ____

4 關漢卿的性格既堅强又執着。

因爲： _____。 ____ ____

5 關漢卿一生只寫了一部《竇娥冤》，就非常有名。

因爲： _____。 ____ ____

6 元雜劇對中國戲劇的發展影響深遠。

因爲： _____。 ____ ____

七 小常識：朗讀下面的句子，根據你的文學常識，判斷下列引用的是什麽文學樣式？屬於什麽流派？作者是誰？

國破山河在，　　　　　　　guópòshānhézài，
城春草木深。　　　　　　　chéngchūncǎomùshēn。

大江東去，浪淘盡、　　　　dàjiāngdōngqù，làngtáojìn、
千古風流人物。　　　　　　qiāngǔfēngliúrénwù。

飛流直下三千尺，　　　　　fēiliúzhíxiàsānqiānchǐ，
疑是銀河落九天。　　　　　yíshìyínhéluòjiǔtiān。

尋尋覓覓，冷冷清清，　　　xúnxúnmìmì，lěnglěngqīngqīng，
凄凄慘慘戚戚。　　　　　　qīqīcǎncǎnqīqī。
乍暖還寒時候，最難將息。　zhànuǎnháihánshíhòu，zuìnánjiāngxī。

夕陽西下，斷腸人在天涯。　xīyángxīxià，duànchángrénzàitiānyá。

地也，你不分好歹何爲地！　dìyě，nǐbùfēnhǎodǎihéwéidì！
天也，你錯勘賢愚枉爲天！　tiānyě，nǐcuòkānxiányúwǎngwéitiān！

八 課堂討論與寫作練習

1 朗誦一首自己喜歡的唐詩、宋詞或元散曲，並談談你爲什麽喜歡。
2 嘗試寫一首詩歌，題目自擬。

第九單元　　短文三

曹雪芹與《紅樓夢》

　　《紅樓夢》是中國古典小說的巔峰之作。作者曹雪芹之所以能寫出這部文學巨著，首先和他的才華與修養有關，更爲重要的是他有從豪華富貴跌入極端貧困的生活經歷。青年的曹雪芹嘗遍了人間冷暖、世態炎涼。晚年，一代文豪住在北京西郊的破屋中，眼含着泪水，用筆，更用全部心血與生命在寫着，寫着，直到"除夕夜，書寫成，芹爲泪盡而逝。"

　　《紅樓夢》中有名有姓的人物就有400多個。從皇親國戚到舞女、歌女，從社會名人到和尚、尼姑，從醫師、巫師到工匠、小販……不勝枚舉。所有人物都個性鮮明，沒有重復。即便在同一個人物的塑造上，也是一人千面，令人讚嘆不已。曹雪芹通過對"賈、史、王、薛"四大家族從興旺到衰敗的描寫，展現了當時廣闊的社會生活場景和多姿多彩的風俗人情，因此，《紅樓夢》被稱作封建社會的百科全書。

　　魯迅評價《紅樓夢》："經學家看見《易》，道學家看見淫，才子看見纏綿，革命家看見排滿，流言家看見宮闈秘事……在我眼下的寶玉，卻看見許多死亡……"。

　　由於《紅樓夢》內容的浩大，不同的人會賦予它不同的主題，總之，仁者見仁，智者見智。

專名：

《紅樓夢(Hónglóumèng)》　　書名　　　　曹雪芹(Cáoxuěqín)　人名

寶玉(Bǎoyù)　　　　　　　　人名

生詞：

古典(gǔdiǎn)	classical	傑作(jiézuò)	masterpiece
才華(cáihuá)	talent	跌(diē)	to drop/fall
文豪(wénháo)	eminent writer	逝(shì)	to die
尼姑(nígū)	nun	工匠(gōngjiàng)	craftsman
巫師(wūshī)	wizard	小販(xiǎofàn)	peddler
贊嘆(zàntàn)	gasp in admiration	已(yǐ)	to stop
塑造(sùzào)	portray	描寫(miáoxiě)	depict
社會(shèhuì)	society	衰敗(shuāibài)	downfall
淫(yín)	obscene	百科全書(bǎikēquánshū)	encyclopaedia
纏綿(chánmián)	lingering	流言家(liúyánjiā)	a gossiper
宮闈(gōngwéi)	royal court	賦予(fùyǔ)	endow
排滿(páimǎn)	drive out the Manchurians		
經學家(jīngxuéjiā)	a scholar of the Confucian classics		
道學家(dàoxuéjiā)	a scholar rigidly adhering to Confucian principles		

練習

一　用所給的字組詞

（　　）豪(háo)　　　傑(jié)（　　）　　　跌(diē)（　　）　　　（　　）嘗(cháng)

豪(háo)（　　）　　　傑(jié)（　　）　　　跌(diē)（　　）　　　嘗(cháng)（　　）

（　　）態(tài)　　　逝(shì)（　　）　　　（　　）戚(qī)　　　巫(wū)（　　）

（　　）態(tài)　　　（　　）逝(shì)　　　（　　）戚(qī)　　　巫(wū)（　　）

（　　）販(fàn)　　　（　　）枚(méi)　　　衰(shuāi)（　　）　　　（　　）姿(zī)

販(fàn)（　　）　　　枚(méi)（　　）　　　衰(shuāi)（　　）　　　姿(zī)（　　）

（　　）俗(sú)　　　（　　）綿(mián)　　　闈(wéi)（　　）　　　塑(sù)（　　）

（　　）俗(sú)　　　（　　）綿(mián)　　　（　　）闈(wéi)　　　塑(sù)（　　）

二 選詞填空

尼姑　　巫師　　工匠　　文豪　　才子　　小販　　道學家　　經學家

1　寫出傑作的人叫_____。

2　出家的女佛教徒叫_____。

3　特別有才華的人叫_____。

4　只遵守舊的准則、非常古板的人叫_____。

5　據説能够與鬼神溝通並爲人祈禱的人叫_____。

6　有手藝的工人叫_____。

7　本錢很少的買賣人叫_____。

8　研究儒家經典的人叫_____。

三 把左邊的詞語和右邊的解釋搭配起來（注意：所給的定義比詞語多）

詞語		解釋
1　皇親國戚	＿＿	A　形容天氣一會兒冷一會兒熱。
2　不勝枚舉	＿＿	B　對同一問題，不同的人會有不同的見解。
3　仁者見仁，		C　皇帝的親戚。
智者見智	＿＿	D　内容豐富，應有盡有。
4　世態炎凉	＿＿	E　形容同一類的事或人很多。
5　一人千面	＿＿	F　形容對人態度根據其狀況好壞而變化。
		G　一個人性格的多重性。

四 從下面A、B、C或D中選出正確的答案

1　曹雪芹是_____朝時候的人。

A　宋　　　　　B　元　　　　　C　明　　　　　D　清

2　曹雪芹能够寫出《紅樓夢》這部傑作主要是因爲　　　　　　（　　）

A　他有才華和修養。　　　　　　　　B　家裏太窮，要寫書賺錢。

C　他家曾是皇親國戚。　　　　　　　D　他的生活經歷坎坷豐富。

3　《紅樓夢》被稱作封建社會的百科全書是因爲　　　　　　（　　）

A　書中有當時社會上各種各樣的人。

B 書中有衆多的人物，有名有姓的就有400多人。

C 展現了當時廣闊的社會生活和多姿多彩的風俗人情。

D 不同的人都可以從這本書中找到自己需要的東西。

五 課堂討論與寫作練習

1 下面是《紅樓夢》中的幾個主要人物，連接他們的姓氏以及主要性格，然後在班上交流討論。

家庭姓氏	人物	性格特點
史(shǐ)	寶玉(bǎoyù)	能干(nénggàn)、狠毒(hěndú)
林(lín)	寶釵(bǎochāi)	尊重個性(zūnzhònggèxìng)
薛(xuē)	鳳姐(fèngjiě)	多愁善感(duōchóushàngǎn)
王(wáng)	黛玉(dàiyù)	享受生活(xiǎngshòushēnghuó)
賈(jiǎ)	賈母(jiǎmǔ)	八面玲瓏(bāmiànlínglóng)

2 《生活的變遷》或《永遠的朋友》

第十單元　　短文一

彩色小麥之父

　　小麥的顏色不是白色或者黃色的嗎？可是育種專家周中普培育出了五彩繽紛的小麥。彩色小麥不僅好看，更重要的是它還具有很高的營養保健價值呢！

　　周中普對彩色小麥的研究，是從1987年在河南南陽農業科學研究所退休後開始的。退休後他不願在家安度晚年，反而比以前更忙了。年過花甲的他上北京、翻秦嶺、去新疆，到處尋找需要的野生資源。周中普知道，只用現有的小麥品種進行雜交育種是沒有前途的，只有遠緣雜交才會有突破。歷經千辛萬苦，他終於收集到了合適的草來做雜交試驗。

　　爲了租借土地做雜交育種試驗，周中普不但用完了多年的積蓄，連每個月的退休金也全都用上了，甚至還要借親戚的錢。但是，什麼困難也不能阻止他追求自己的夢想。經過十幾年的艱辛探索，從2000年起，彩色小麥——中普黑小麥、中普綠小麥、中普藍小麥、中普紫小麥等各類彩色小麥相繼問世。

　　2003年10月15號，周中普培育的彩色小麥種子乘坐上"神州"五號飛船，上天去接受太空綜合射綫輻射。這是一個新起點，幾年後周中普就可能培育出具有抗蟲、豐產、優質、保健的新一代小麥品種了。

　　周中普認爲，彩色小麥品種的培育成功只是第一步。加強彩色小麥的種植和推廣，可以讓農民增加收入。另外，由於彩色小麥含有人類需要的多種營養，可以用來開發保健食品，進而改善人民的生活質量。

　　不久的將來，彩色保健小麥食品一定會擺上普通百姓的餐桌，周中普的彩色小麥將會讓人們的生活更加絢爛美好。

專名：

周中普(Zhōuzhōngpǔ)	人名	河南(Hénán)	province's name
南陽(Nányáng)	地名	秦嶺(Qínlǐng)	山名
新疆(Xīnjiāng)		short for Xinjiang Uigur Autonomous Region	

生詞：

小麥(xiǎomài)	wheat	育種(yùzhǒng)	breeding
退休(tuìxiū)	retire	資源(zīyuán)	resources
品種(pǐnzhǒng)	variety	突破(tūpò)	break through
試驗(shìyàn)	to experiment	積蓄(jīxù)	savings
親戚(qīnqi)	relatives	阻止(zǔzhǐ)	to bar
探索(tànsuǒ)	quest for	射綫(shèxiàn)	radiation
輻射(fúshè)	radiate	豐產(fēngchǎn)	high yield
保健(bǎojiàn)	health care	推廣(tuīguǎng)	popularise
質量(zhìliàng)	quality	絢爛(xuànlàn)	floweriness
遠緣雜交(yuǎnyuán zájiāo) cross-fertilise between varieties			

練習

111

一 選字填詞（每個字可用兩次）

租/阻	班/斑	伐/代	輻/福
（　　）地	（　　）爛	步（　　）	幸（　　）
房（　　）	（　　）馬	（　　）樹	祝（　　）
（　　）止	（　　）級	（　　）表	（　　）射
（　　）攔	（　　）車	朝（　　）	（　　）條

二 漢譯英

五彩繽紛＿＿＿＿　　　　　千辛萬苦＿＿＿＿

安度晚年＿＿＿＿　　　　　相繼問世＿＿＿＿

保健食品＿＿＿＿　　　　　野生資源＿＿＿＿

三 根據要求，把下面的英文翻譯成中文

1 Isn't the wheat's colour white or yellow? （不是……嗎？）

翻譯：＿＿＿＿＿＿＿＿＿＿＿＿＿＿＿＿＿＿＿＿＿＿＿＿＿＿＿＿

2　In order to rent land to experiment with hybridization and breeding, he used up all his own money saved over many years.（爲了……）

翻譯：＿＿＿＿＿＿＿＿＿＿＿＿＿＿＿＿＿＿＿＿＿＿＿＿＿＿＿＿

3　The colourful wheat is not only good looking, but more importantly it is valuable due to its nutrients and ability to protect health.（不僅……還）

翻譯：＿＿＿＿＿＿＿＿＿＿＿＿＿＿＿＿＿＿＿＿＿＿＿＿＿＿＿＿

四　根據上面短文的内容，把左邊和右邊的短語連接成意思連貫的句子
（注意：右邊的短語多於所需）。

1　彩色小麥不僅有營養價值　　　　　A　還特別漂亮。

2　周中普向親戚借錢　　　　　　　　B　因爲他的親戚有很多積蓄。

3　彩色小麥種子上太空　　　　　　　C　還有市場價值。

4　彩色小麥可以增加農民收入　　　　D　爲了接受太空綜合射綫輻射

5　周中普退休後不喜歡在家閑着　　　E　因爲做試驗自己的錢已不够用。

　　　　　　　　　　　　　　　　　F　還可以開發保健食品市場。

　　　　　　　　　　　　　　　　　G　他要發揮餘熱。

五　根據短文内容，回答下列問題

1　周中普採用什麽方法培育出了彩色小麥？

2　彩色小麥的種子爲什麽會被送上太空？

3　新一代的彩色小麥種子有些什麽特點？

4　彩色小麥的研究成功意義何在？

六　小常識：選擇恰當的詞語填空

花甲(huājiǎ)　　　　而立(érlì)　　　　　知天命(zhītiānmìng)

不惑(bùhuò)　　　　古稀(gǔxī)

1　三十歲叫＿＿＿＿＿＿＿之年。

2　四十歲叫＿＿＿＿＿＿＿之年。

3 五十歲叫＿＿＿＿＿之年。

4 六十歲叫＿＿＿＿＿ 之年。

5 七十歲叫＿＿＿＿＿ 之年。

七 課堂討論與寫作練習

1 爲什麼利用接受過太空綜合射綫輻射的小麥種子，幾年後就可能培育出具有抗蟲、豐產、優質、保健的新一代小麥品種了？請自己去圖書館或上網查找有關資料，然後在課堂上交流。

2 《夕陽紅——記一位老人》

第十單元　　短文二

動物趣事

動物成年後，無論是昆蟲、游魚，還是飛鳥、走獸，凡是雄性都長得特別漂亮。

雄孔雀在交配前，全身的羽毛會煥然一新。它們會繞着雌孔雀，展開五彩繽紛的翅膀和尾巴，以求得對偶的青睞。

戀愛中的青年男女相互用愛慕的眼光對視叫"放電"。有一種叫做隆頭魚的魚，在戀愛時節也會"放電"。它們眼睛的後方會伸出5、6條天藍色的條紋，背部前端會長出一個閃閃發亮的藍點，向對方傳遞愛的信息。

科學家研究發現，在動物王國裏，雄性動物會向雌性動物贈送"結婚"禮物。有些物種特別大方，送些營養豐富的動物殘體或昆蟲的碎片；有些物種就非常吝嗇，它們只是給心上人一點點唾液而已；還有些什麼聘禮也不給。

春天，成年的雄鹿會從頭上長出兩只角來，嫩嫩的新角就是珍貴的補品——鹿茸。夏天，鹿角變硬，它就常在樹枝上摩擦，把角變成戰鬥的武器。秋天是鹿的繁殖期，雄鹿常到潮濕的泥地裏發瘋似的滾得渾身是泥。傍晚，它們就搖晃着犄角，威風地出來向其他雄鹿挑戰，向心愛的雌鹿求愛。

非洲大草原上的雄獅，用那一頭瀟灑飄逸的長髮告訴我們什麼是魅力，用那高大威武的體魄告訴我們什麼叫雄壯。

在代代延續生存的歷史發展中，英俊的、強壯的雄性動物，通過獻美、舞蹈、歌唱、搏鬥等手段，做着傳宗接代的貢獻。

專名：

非洲(Fēizhōu)　　　　Africa

生詞：

成年(chéngnián)	come of age	昆蟲(kūnchóng)	insect
走獸(zǒushòu)	beast	雄(xióng)	male
交配(jiāopèi)	to mate	羽毛(yǔmáo)	feather
雌(cí)	female	繽紛(bīnfēn)	colourful
青睞(qīnglài)	good graces	愛慕(àimù)	to adore
隆(lóng)	protuberance	端(duān)	end
對偶(duìǒu)	partners	碎片(suìpiàn)	pieces
殘體(cántǐ)	dead animal parts	吝嗇(lìnsè)	miserly
唾液(tuòyè)	saliva	聘禮(pìnlǐ)	betrothal gift
補品(bǔpǐn)	tonic	鹿茸(lùróng)	young antler of deer
繁殖(fánzhí)	to reproduce	搖晃(yáohuàng)	to swag
渾身(húnshēn)	all over the body	威風(wēifēng)	imposing
挑戰(tiǎozhàn)	to challenge	求愛(qiúài)	woo
飄逸(piāoyì)	elegant	魅力(mèilì)	charm
體魄(tǐpò)	physique	延續(yánxù)	continue
搏鬥(bódòu)	to wrestle	英俊(yīngjùn)	handsome
貢獻(gòngxiàn)	contribute	角(jiǎo)/犄角(jījiǎo)	horn

練習

一　選字填空

___然（換/煥）　　　　青___（徠/睞）　　　　羨___（慕/幕）

___禮（聘/聆）　　　　繁___（植/殖）　　　　___擦（磨/摩）

___戰（佻/挑）　　　　瀟___（灑/酒）　　　　體___（魂/魄）

二 參考上面短文，寫出下列詞語的反義詞

雄＿＿＿　　　　　白眼＿＿＿　　　　　短暫＿＿＿

恨＿＿＿　　　　　吝嗇＿＿＿　　　　　單一＿＿＿

頭＿＿＿　　　　　矮小＿＿＿　　　　　普通＿＿＿

軟＿＿＿　　　　　干燥＿＿＿　　　　　便宜＿＿＿

三 連接下面意思相同的中、英文詞語

傳宗接代(chuánzōngjiēdài)　　　　completely renovated

瀟灑飄逸(xiāosǎpiāoyì)　　　　　continue the family line

焕然一新(huànrányìxīn)　　　　　casual and elegant

四 從練習三中選詞填空

1 她有着長長的黑髮，穿着一條絲綢長裙，真是（　　　　）。
2 封建思想認爲只有兒子才可以（　　　　），女兒結婚後是夫家的人。
3 教室裏有了新的桌椅、添了電腦、電視，給大家（　　　　）的感覺。

五 漢譯英

1 動物成年後，無論是昆蟲、游魚，還是飛鳥、走獸，凡是雄性都長得特別漂亮。

翻譯：＿＿＿＿＿＿＿＿＿＿＿＿＿＿＿＿＿＿＿＿＿＿＿＿＿＿＿＿＿＿＿

2 有些物種特別大方，給愛人送些營養豐富的動物殘體或昆蟲的碎片；有些種類就非常吝嗇，它們只是給心上人一點點唾液而已；有些什麼聘禮也沒有。

翻譯：＿＿＿＿＿＿＿＿＿＿＿＿＿＿＿＿＿＿＿＿＿＿＿＿＿＿＿＿＿＿＿

＿＿＿＿＿＿＿＿＿＿＿＿＿＿＿＿＿＿＿＿＿＿＿＿＿＿＿＿＿＿＿

六 閱讀短文，判斷下面的句子"對"或"錯"，并從文中找出其理由

	對	錯

1 戀愛時節的動物都會變得特別漂亮。　　　　　——　　　　——

因爲：_____

2 雄孔雀戀愛時，會換上新的羽毛來吸引對方的
注意和喜愛 。　　　　　　　　　　　　　——　　　　——

因爲：_____

3 成年的雄鹿威風地搖晃犄角只是爲了向雌鹿表
示愛慕之心。　　　　　　　　　　　　　——　　　　——

因爲：_____

4 所有動物世界的雄性會向求愛的女朋友贈送禮物。　——　　　　——

因爲：_____

七 根據短文內容，回答下列問題

1 隆頭魚是怎樣向對方傳遞愛的信息的？

2 雄鹿頭上的角有些什麼用處？

3 雄獅是通過什麼展現它的魅力和雄壯的？

八 課堂討論和寫作練習

1 動物界真的一定要靠雄性來"傳宗接代"嗎？談談你的有關知識。

提示：克隆羊、試管胚胎等。

2 介紹一種你熟悉或喜愛的動物，題目自擬；或可寫《籠子裏的獅子》。

第十單元　　短文三

中華骨髓庫

"中華骨髓庫"是一個資料庫，裏面收藏的是有關志願捐獻者的造血幹細胞的具體資料。把捐獻者提供的幹細胞移植到白血病病人的身體內，替代病人自己病態的造血幹細胞，可以使得白血病患者獲得第二次生命。

但是骨髓移植是成功還是失敗，關鍵在于HLA的配型問題。一般來講，約400人中可以找到一個HLA的相同者，稀有血型的白血病患者就可能要到幾萬人甚至幾十萬的人群中去尋找。不同的人種HLA的差別很大。雖然在美國和歐洲有1000萬人的志願捐獻者資料庫，但是對中國人並不適用。

臺灣佛教界知名人士證嚴法師于1999年創建的"慈濟骨髓細胞中心"現擁有28萬多名志願捐獻者，至今已經爲大陸同胞提供了400例造血幹細胞。從2006年起，大陸的"中華骨髓庫"也開始爲臺灣同胞提供造血幹細胞。

目前中國志願捐獻者已經達到40萬人，有430人爲患者捐獻了造血幹細胞，包括香港、臺灣、新加坡和美國等地的患者。可是現在，白血病患者數量正在以每年4萬人左右的速度在增加，而40萬份資料顯示，只有50%配型相合。

造血幹細胞有自我更新、發育和再生的能力，對捐獻者的身體沒有損害。天下華人血濃於水，中華骨髓庫希望有更多的志願捐獻者，爲海內外華人患者服務。

專名：

證嚴(Zhèngyán) religious name (the name one adopts on becoming a Buddhist monk or nun)

慈濟(Cíjì)骨髓細胞中心　　　The Ciji Bone Marrow Centre

中華骨髓庫(zhōnghuágǔsuǐkù)　Chinese Marrow Donor Program

生詞：

造血(zàoxuè)　　　erythropoeisis (to make blood)

骨髓(gǔsuǐ)　　　bone marrow　　　志願(zhìyuàn)　　　to volunteer

移植(yízhí)　　　to transplant　　　白血病(báixuèbìng)　leukaemia

幹細胞(gànxìbāo)　stem cell　　　代替(dàitì)　　　replace

病態(bìngtài)　　morbidity　　　患者(huànzhě)　　patient

失敗(shībài)　　failure　　　關鍵(guānjiàn)　　crux

配型(pèixíng)　　to match　　　更新(gēngxīn)　　renew

發育(fāyù)　　　growth　　　再生(zàishēng)　　regenerate

損害(sǔnhài)　　to damage

練習

一　讀拼音，選字填詞

髓/髓
(jǐsuǐ)
脊___
(suìdào)
___道

形/型
(xuèxíng)
血___
(xíngzhuàng)
___狀

擠/濟
(jiùjì)
救___
(yōngjǐ)
擁___

份/分
(niánfèn)
年___
(shífēn)
時___

列/例
(páiliè)
排___
(lìjù)
___句

供/拱
(tígōng)
提___
(gǒngshǒu)
___手

二　把下面的英文翻譯成以 "者" 或者 "力" 結尾的中文詞語

力(lì)　power; to do all one can　　　者(zhě) those who

ability　　　　　　　　　　　　　writer

motivate　　　　　　　　　　　　scholar

waterpower　　　　　　　　　　　volunteer

electric power　　　　　　　　　　journalist

wind power　　　　　　　　　　　sufferer

三　漢譯英

4萬人左右	5成	28萬多	2/3
約400人	13億	50%	近半

四　選擇正確的詞語填入空格內

1　人體的_____細胞能够給白血病患者以第二次生命。

A　白細胞　　　　B　造血幹細胞　　　C　細胞　　　　D　HLA

2　"慈濟骨髓細胞中心" 在_____。

A　大陸　　　　　B　新加坡　　　　　C　臺灣　　　　D　美國

3　至今已經有_____志願捐獻者在 "中華骨髓庫" 注册。

A　1000萬　　　　B　40萬　　　　　　C　28萬多　　　D　400多

4　_____人類造血幹細胞中的HLA不能配型，骨髓移植_____不能成功。

A　儘管……還……　　　　　　　　　B　因爲……所以……

C　只要……就……　　　　　　　　　D　只有……才……

5　歐美志願捐獻者的骨髓對中國人並不適用，原因是_____。

A　白血球很不同　　　　　B　皮膚很不同

C　民族很不同　　　　　　D　人種很不同

五 把下面左邊和右邊的詞組連接成意思完整的句子

（注意：右邊的詞組多於需要的）

1 在骨髓庫裏收藏的是　　　　A 爲大陸同胞提供了400例造血幹細胞

2 臺灣的骨髓庫　　　　　　　B 有關讓白血病人再生的造血幹細胞的資料。

3 大陸的骨髓庫　　　　　　　C 爲救港臺同胞找到了相同配形的捐獻者。

　　　　　　　　　　　　　　D 有關白血病人需要的造血幹細胞的資料。

六 根據短文內容，回答下列問題

1 建立骨髓庫或骨髓細胞中心的意義是什麼？

2 捐獻造血幹細胞會不會影響自己身體的健康？爲什麼？

七 課堂討論和寫作練習

1 你願意捐獻造血幹細胞嗎？爲什麼？

2 以“每人獻出一點愛，世界就會充滿愛”開頭完成作文，題目自擬。

第十一單元　　短文一

豆腐的故事

豆腐價格便宜，營養豐富，堪稱是中國的又一國寶。

關於豆腐的起源有着不同的說法。一說是：西漢年間，淮南王劉安在研制長生不老藥的過程中，無意中用黃豆、鹽鹵做出了豆腐，大受人們喜愛，制作方法也就傳播開了。另一說是：很久以前，有個婆婆對媳婦非常吝嗇，連豆漿都不讓她喝。有一天婆婆出遠門，媳婦就匆忙地磨豆子，煮豆漿喝。豆漿剛煮好，外面傳來脚步聲。她一着急，趕忙將整鍋豆漿往竈邊的罎子裏倒。回頭一看，原來是丈夫回來了，她忙拉着丈夫一塊兒喝豆漿。哪知打開罎子的蓋一看，豆漿都凝固成塊了。原來這本是個泡菜罎，菜沒了可底下還剩着些酸水。他倆勉強一嘗，又滑又嫩，味道好極了。

不少豆腐店的老板娘有"豆腐西施"之美名。她們往往皮膚細嫩，胸部豐滿。據說慈禧太後年紀大了還能夠保持年輕時的容貌，跟她每天吃一碗"珍珠豆腐"有關。據說放在豆腐上的珍珠，蒸上四十九天才會酥爛，她的禦用厨房裏有49口蒸鍋，保證她每天都可吃到一碗美味又美容的珍珠豆腐。

科學家發現，豆腐含天然的植物雌激素，有抗衰老的作用。中國、日本等東亞婦女更年期反應比西方婦女輕，與她們吃很多豆腐以及其他豆制品有關。豆

腐含有極少的碳水化合物，脂肪是植物性的，並且含有豐富的鈣，多吃豆腐可有效降血壓，因此也很適合高血脂、心臟病患者及想瘦身的人食用。

現代，豆腐不僅受到華人的喜愛，也受到越來越多的西方素食者和營養師的青睞。這也可以說是中國對世界的一個貢獻吧！

專名：

西漢(Xīhàn)Western Han Dynasty（206BC-23）　　劉安(Liúān)　人名

淮南王(Huáinánwáng)　　　　King of Huainan　　西施(Xīshī)　人名，古代的美人

慈禧(Cíxǐ)name of the mother of emperor Guangxu　（Qing Dynasty）

生詞：

豆腐(dòufǔ)	tofu	研制(yánzhì)	to research and develop
鹽鹵(yánlǔ)	bittern	磨(mó)	grind
煮(zhǔ)	to boil	鍋(guō)	cauldron
竈(zào)	cooking stove	罎子(tánzi)	crock
酸(suān)	sour	凝固(nínggù)	congeal
勉强(miǎnqiǎng)	reluctantly	滑(huá)	slippery
嫩(nèn)	tender	胸部(xiōngbù)	breast
豐滿(fēngmǎn)	plump	容貌(róngmào)	appearance
太后(tàihòu)	mother of the emperor		
珍珠(zhēnzhū)	pearl	蒸(zhēng)	to steam
酥爛(sūlàn)	soft	禦用(yùyòng)	for use of the royal family
激素(jīsù)	hormone	衰老(shuāilǎo)	to age
更年期(gēngniánqī)	menopause	反應(fǎnyìng)	reaction
豆制品(dòuzhìpǐn)	soya products	脂肪(zhīfáng)	fat
鈣(gài)	calcium	血壓(xuèyā)	blood pressure
血脂(xuèzhī)	cholesterol	瘦身(shòushēn)	lose weight
心臟病(xīnzàngbìng)	heart disease	碳水化合物(tànshuǐhuàhéwù)	carbohydrate

123

練習

一　讀拼音寫漢字

yánlǔ	chuánbō	lìnsè	xífù
鹽＿＿	傳＿＿	吝＿＿	＿＿婦
cōngmáng	dòujiāng	guōzi	lúzào
＿＿忙	豆＿＿	＿＿子	爐＿＿
tánzi	gàizi	nínggù	suānshuǐ
＿＿子	＿＿子	＿＿固	＿＿水
miǎnqiǎng	xìnèn	róngmào	sūlàn
＿＿强	細＿＿	容＿＿	＿＿爛

yùyòng	zhēngguō	jīsù	gàipiàn
＿用	＿鍋	＿素	＿片
xuèyā	xuèzhī	sùshí	qīnglài
血＿	血＿	＿食	＿睞

二 參考所給的中文詞語，把下面的英文翻譯成中文

脂肪　血脂　血壓　心臟病　更年期　　雌激素　　抗衰老　　碳水化合物

fat_____　　　　　　　oestrogens_____　　　　cholesterol_____

blood pressure_____　　heart disease_____　　　menopause_____

carbohydrate_____　　　anti-aging_____　　　　calcium_____

三 漢譯英

酸(suān)_____　　　　甜(tián)_____　　　　苦(kǔ)_____

辣(là)_____　　　　　咸(xián)_____　　　　泡菜(pàocài)_____

四 注意加綫的詞語，把下面的句子翻譯成英文

1 關於豆腐的起源有不同説法。

翻譯: _____

2 有個婆婆對媳婦非常吝嗇，連豆漿都不讓她喝。

翻譯: _____

五 根據例子，把下面的英文翻譯成動補結構的詞組

例子:afford 買得起；　　　　　　cannot afford 買不起

can see_____　　　　　　　　　cannot see_____

conceivable_____　　　　　　　inconceivable_____

can finish(the job)_____　　　　cannot finish(the job)_____

can walk on_____　　　　　　　cannot walk(any more)_____

think highly of_____　　　　　look down upon _____

六 根據短文內容，回答下列問題

1 在豆漿裏添加什麼可以把豆漿變成豆腐？

2 常吃豆腐有什麼好處？

七 歇後語是不説後文，以前文來表達意思的幽默語言。中文裏有不少用豆腐做歇後語的，例如：馬尾穿豆腐——提不起。請你猜猜下面句子想表達什麼意思：

咸菜煮豆腐＿＿＿

小葱拌豆腐＿＿＿

快刀切豆腐＿＿＿

馬尾兒串豆腐＿＿＿

豆腐掉進灰堆裏＿＿＿

鹵水點豆腐＿＿＿

八 課堂討論與寫作練習

1 你知道中國四大古典美女所屬的年代嗎？談談她們的命運是如何與中國的歷史相關聯的？

| 春秋戰國 | 西漢 | 東漢 | 唐 |
| 貂嬋 | 楊貴妃 | 王昭君 | 西施 |

2 介紹一道你的家鄉菜，題目自擬。

第十一單元　短文二

蘇軾與東坡肉

"但願人長久，千里共嬋娟"，每逢中秋佳節，天下華人都愛吟誦蘇軾的詞句。蘇軾是豪放派宋詞的代表人物，同時他還是唐宋八大散文家之一呢。

東坡是蘇軾的號。他生活在一個新、舊思想激烈鬥爭的年代，可他既不支持改革，也不反對新法，兩面不討好，於是被趕出京城，派到黃州當一個小官。蘇軾的生活很拮据，每天只有150錢的生活費。幸運的是當地的豬肉非常便宜，富人不願吃而窮人不會煮。蘇東坡就天天自己煮豬肉吃。他先把肉切成四方寸的大塊放入鍋裏，再加上酒、醬油等和少量水，用小火炖，炖到汁水干時，肉已酥爛就可以吃了。爲此他還寫了一篇《豬肉頌》，並把這種烹調方法介紹給附近的百姓，於是大家把這道菜取名爲"東坡肉"。另有一種開封東坡肉，不用醬油，肉切成塊後加上鮮筍，加上鹽放進大碗清蒸，蒸得酥爛。據説開封人原來不吃鮮筍，因爲蘇軾的詩"無竹令人俗，無肉令人瘦。不俗加不瘦，竹筍加豬肉"傳到開封後才有了這道菜，因此，這道菜也稱作"東坡肉"。

蘇軾不僅給我們留下了豐富的精神食糧，還發明了一道美味佳肴——東坡肉。

專名：

蘇軾(Sūshì)/蘇東坡(Sūdōngpō)　　　人名　　　黃州(Huángzhōu)　　　地名

《豬肉頌(Zhūròusòng)》　　　　　文章名　　　開封(Kāifēng)　　　　地名

廬山(Lúshān)　　　　　　　　山名 Mount Lu

生詞：

嬋娟(chánjuān)	lovely woman/moon	佳節(jiājié)	happy festival
號(hào)	alternative/literary name	吟誦(yínsòng)	recite
激烈(jīliè)	intense，sharp	反對(fǎnduì)	be against
討好(tǎohǎo)	to please	拮據(jiéjū)	short of money
醬油(jiàngyóu)	soya sauce	炖(dùn)	to stew
烹調(pēngtiáo)	to cook	切(qiē)	to chop
鮮筍(xiānsǔn)	fresh bamboo shoots	俗(sú)	vulgar
佳肴(jiāyáo)	delicious food		

練習

一　參考所給的詞語，把下面的英文翻譯成中文

煮　燒　炖　蒸　烤　炸　炒　煎

to cook_____　　　to boil_____　　　to roast_____　　　to stir-fry_____

to stew_____　　　to steam_____　　　to deep-fry_____　　　to fry_____

二　漢譯英

鍋_____　　　　盤_____　　　　筷_____　　　　叉_____

碗_____　　　　碟_____　　　　刀_____　　　　匙_____

三 寫出下列詞語的反義詞

反對＿＿＿＿　　　　　瘦＿＿＿＿　　　　　豐富＿＿＿＿

拮據＿＿＿＿　　　　　俗＿＿＿＿　　　　　少量＿＿＿＿

便宜＿＿＿＿　　　　　酥＿＿＿＿　　　　　美味＿＿＿＿

四 在下列動詞後加上恰當的名詞

吟誦（　　　　）　　　煮（　　　　）　　　支持（　　　　）

發明（　　　　）　　　炖（　　　　）　　　反對（　　　　）

介紹（　　　　）　　　切（　　　　）　　　欣賞（　　　　）

五 閱讀下列加綫的句子，從4個選項中找出其正確的解釋

1 <u>但願人長久，千裏共嬋娟</u>的意思是：　　　　　　　　　（　　）

A 但是希望人人都能長久，無論分離有多遠，都能一起欣賞美麗的月亮。

B 只是希望人人都能長久，無論到多遠，都能欣賞同一輪美麗的月亮。

C 但是希望人人都能長久，無論在地球的哪裏，都能一起看到美麗的嫦娥。

D 只是希望人人都能長久，無論分離有多遠，都能欣賞同一輪美麗的月亮。

2 <u>蘇軾被派到黃州當官</u>是因爲：　　　　　　　　　（　　）

A 他不僅詩詞寫得好，還是唐宋八大家之一。

B 他用黃州的豬肉烹調出了佳肴，黃州人民喜愛他。

C 他得罪了皇親國戚被趕出京城到黃州。

D 他既不支持改革，也不反對新法，兩面不討好。

六 閱讀短文，判斷下面的句子對（✓）、錯（X）或文中沒有（沒）

1 蘇軾是詩、詞、文樣樣精通的大文學家。　　　　　　　　　（　　）

2 蘇軾很慶幸能去黃州，因爲收入高，可以天天買豬肉吃。　　（　　）

3 蘇東坡是蘇軾的曾用名。　　　　　　　　　　　　　　　　（　　）

4 "明月幾時有"的詞是蘇東坡寫給弟弟的。　　　　　　　　　（　　）

5 開封的東坡肉是蘇軾教當地人烹調的。　　　　　　　　　　（　　）

128

七 課堂討論與寫作練習

1 有人說蘇軾被趕出京城到黃州，在貧困生活中烹調出"東坡肉"，也算是"苦中作樂"。你是怎麼理解"苦中作樂"的？

2 《生活有苦也有樂》

第十一單元　短文三

淺談中西飲食文化

衆所周知，中西飲食文化有很大的差異。

中餐追求飯菜的色、香、味俱全，做菜講究"烹調"。我們（歷來1）將烹與調合爲一體，美味靠調，調出美味，而調得如何要靠經驗的積纍，有很大的隨意性。西餐强調飯菜的實用性，從營養學角度出發，很多蔬菜就生吃。有人說西方人的厨房像化學實驗室：天平、量杯、定時器等，架子上整齊地（放着2）大小相同的各種調料瓶。添加多少調料是用"克"來計算，烹飪時間（以3）分、秒要求，可見其精確性。

西方餐具的擺放：前勺後盤、左叉右刀。假如是高級宴會則是前三勺、後兩盤、左三叉、右三刀，大小配套，用時先後有序。中國人只需一雙筷子、一個飯碗、一把湯匙。無論是一粒豆還是一塊肉，都可用筷子隨意夾取，方便自如。

西方採用分餐制。各選各自的菜，人各一盤各吃各的，各自隨意添加調料，由此可看出對個性的尊重；中餐則一桌人團團圍坐，各色菜肴放中間，大家分享，體現出群體觀念。西方人是一道菜吃完後再吃第二道菜，前後兩道菜絶不混吃；中國人則是擺滿一桌子的菜，隨你東盆夾一筷，西碗舀一勺。兩者之間有着中西文化中"分別"與"和合"的差異。

請客吃飯，中國人會一再地給客人夾菜，以表示熱情好客；菜明明多得吃不完，還要說"真對不起，没什麼菜招待你。"而西方人一定會讓客人自己選菜自己吃，並會說"請你就像在自己的家一樣"，他們認爲好的服務才是表示好客的方式。

説到底，中西方飲食文化的差異体現的是中西方不同的生活哲學和思維方式的差異。

生詞：

衆所周知(zhòngsuǒzhōuzhī)		widely known		
飲食(yǐnshí)	eat and drink	差異(chāyì)	difference
餐具(cānjù)	utensils	講究(jiǎngjiū)	be particular about
調(tiáo)	to season	積纍(jīlěi)	accumulate
隨意(suíyì)	at liberty	實驗(shíyàn)	experiment
天平(tiānpíng)	scales	量杯(liángbēi)	measuring cup
定時器(dìngshíqì)	timer	調料(tiáoliào)	seasonings
烹飪(pēngrèn)	to cook	精確(jīngquè)	exactness
勺(sháo)	spoon	宴會(yànhuì)	banquet
湯匙(tāngchí)	ladle	夾取(jiáqǔ)	to pick up
群體(qúntǐ)	groups	舀(yǎo)	to ladle
服務(fúwù)	service	好客(hàokè)	hospitable
思維(sīwéi)	thinking; thought		

練習

一 給下面加綫的多音字注音

調味	各種	積纍	大小	時間	宴會
調查	種植	勞纍	大夫	間隔	會計
好客	量杯	要求	方便	混吃	差異
你好	重量	需要	便宜	混合	很差

二 選出正確的量詞填空

碗　盤　盆　個　勺　瓶　道　把　塊　粒　雙　桌

一（　　）人　　　一（　　）米飯　　　一（　　）肉　　　一（　　）筷子

一（　　）魚　　　一（　　）書架　　　一（　　）豆　　　一（　　）調料

一（　　）菜　　　一（　　）叉子　　　一（　　）湯　　　一（　　）水果

三 上面短文的第二段中有三個加括號的詞語，我們可以用下面哪一組詞去依次替換？　　　　　　　　　（　　）

A 1 從來、2 擱着、3 拿；
B 1 本來、2 列着、3 用；
C 1 向來、2 擺着、3 用

四 英譯漢

social service_____

service quality_____

technical service_____

laboratory experiment_____

chemical experiment_____

physics experiment_____

western philosophy_____

philosophy of life_____

philosophy of Taoism_____

parliamentary groups_____

blood groups_____

study in groups_____

五 根據短文內容，回答下列問題

1 烹飪中餐和西餐，各有什麼特點？

2 中西方主要的餐具各是什麼？使用時各有什麼特點？

3 中西文化中"分別"與"和合"的差異怎麼在飲食文化中表現出來？

4 爲什麼中國人請客菜多得吃不完，還要說"真對不起，沒什麼招待你"？

六 課堂討論與寫作練習

1 中西方生活哲學和思維方式的差異，怎麼樣在飲食文化方面反映出來？

2 《我第一次吃XX》（XX可以是任何一個其他國家的食品）

第十二單元　　短文一

保持好心態

曾經有一位心理學教授做過這樣一個試驗：

一天晚上，他帶着九個人來到河邊，對他們說："現在你們要走過這座彎曲狹窄的小橋，小心千萬別掉下去，不過掉下去也沒關係，底下只有一點兒水。"九個人聽後都一溜烟地跑過去了。這時，教授打開一盞朦朧的黃燈，透過燈光，九個人看到橋底下不僅僅有水，還有幾條丑惡的鰐魚，嚇得個個都出了一身冷汗，慶幸自己剛才沒有掉下去。隨后，教授請他們從這座小橋上再走回來，這下没人敢走了。於是教授讓他們想像自己走在寬闊堅固的鐵橋上。誘導鼓勵了半天，總算有三個人站了起來，願意嘗試一下。第一個人顫顫巍巍地花了比剛才多一倍的時間才走回來；第二個人哆嗦着只走了一半就嚇得趴在橋上了；第三個才走出三步就不能移動腳步了。這時教授打開所有的燈，大家才發現，在橋和鰐魚之間還有一層網，網也是黃色的，剛才在那樣的燈光下當然就看不清楚了。這回有五個人都放心地走回來了，可是還有一個怎麼也不敢走，原來他擔心網不結實。

橋依然是那橋，可不同的心態卻改變了一個人的能力。可見有了好心態才有好狀態。

有一位老婆婆有兩個兒子，大兒子賣雨傘，小兒子賣草帽。老婆婆整天愁容滿面。雨天她就愁"啊呀，今天我的小兒子沒生意了，咋辦呢？"晴天她也憂："啊呀，今天我的大兒子沒生意了，咋辦呢？"憂愁使得她的身體每況愈下，鄰居們也被她嘮叨得倒胃口，以至一看見她就躲着走開了。有人問她爲什麼不這麼想：下雨了，我大兒子有好生意啦；天晴了，我小兒子有好生意啦。自從她換了個角度思考後，笑聲多了，身體好了，精神足了，兒子樂了，朋友多了，生活變得有滋有味了。

好心態才有好身體，好朋友，好生活。只有讓我們的心裏充滿陽光，我們的生活才會充滿陽光。

生詞：

心態(xīntài)	mind-set	曾經(céngjīng)	once upon a time
心理學(xīnlǐxué)	psychology	狹窄(xiázhǎi)	narrow
朦朧(ménglóng)	hazy	丑惡(chǒuè)	ugly
鰐魚(èyú)	crocodile	移動(yídòng)	to move
擔心(dānxīn)	to worry	結實(jiēshi)	hard-wearing
慶幸(qìngxìng)	rejoice	想像(xiǎngxiàng)	imagine
寬闊(kuānkuò)	wide	堅固(jiāngù)	solid
誘導(yòudǎo)	to guide	鼓勵(gǔlì)	encourage
哆嗦(duōsuō)	to shiver	嚇(xià)	to scare
趴(pā)	prostrate	能力(nénglì)	ability
傘(sǎn)	umbrella	草帽(cǎomào)	straw hat
愁(chóu)	anxiety	憂(yōu)	to worry
咋(ză)	how	嘮叨(láodao)	chatter
胃口(wèikǒu)	appetite	每況愈下(měikuàngyùxià)	deteriorate
有滋有味(yǒuzīyòuwèi)	with relish	顫顫巍巍(chànchànwēiwēi)	tottering

練習

一 選字填空

受/授

1 王教（   ）深（   ）學生們的愛戴。

實/試

2 這個化學（   ）驗（   ）驗了無數遍。

裏/理

3 老婆婆心（   ）整天悶悶不樂，需要去看心（   ）醫生。

毫/豪

4 （   ）放的北方人（   ）不在意自己說了什麼。

二 填寫正確的量詞

一（　）冷汗	兩（　）小橋	五（　）電網
三（　）燈籠	四（　）鰐魚	六（　）雨傘
七（　）草帽	八（　）試驗	九（　）鄰居

三 連接下面詞語的反義詞

每況愈下(měikuàngyùxià)　　　　笑容滿面(xiàoróngmǎnmiàn)

愁容滿面(chóuróngmǎnmiàn)　　　日益好轉(rìyìhǎozhuǎn)

彎曲狹窄(wānqūxiázhǎi)　　　　筆直寬闊(bǐzhíkuānkuò)

四 漢語中有很多詞可以變成叠詞并且起到不同的作用：

個——個個（量詞重叠表示 "每"）

哆嗦——哆哆嗦嗦（AABB）(形容詞重叠加強詞義)

表揚——表揚表揚（ABAB）（動詞重叠使得口氣變得較隨便）

請將下列詞語變成叠詞

彎曲_____	改變_____	盏_____
嘮叨_____	鼓勵_____	聽_____
朦朧_____	思考_____	説_____
清楚_____	嘗試_____	層_____
結實_____	誘導_____	笑_____

五 漢譯英

所有的燈_____　　　　整天憂愁_____

個個鄰居_____　　　　全部的傘_____

一些朋友_____　　　　幾條鱷魚_____

六 根據要求，把下面的英文句子翻譯成中文

1　At that moment the professor switched on the lights, and then everyone discovered that there is a net between the bridge and crocodile. （……才……）

翻譯：_____

2　Only by filling our hearts with sunshine, can our lives then be full of sunshine. （只有……才……）

翻譯：_____

七 連接下列意思相同的中、英文詞語

一溜烟　　　　　　　　　how to do

倒胃口　　　　　　　　　running fast

出冷汗　　　　　　　　　with great difficulty

好容易　　　　　　　　　terrified

咋辦　　　　　　　　　　get tired of someone or something

八 從練習七中選詞填空

1 老教授（　　　　　）才説服他們橋上走回來。

2 橋身突然搖晃起來，橋上的人都嚇得（　　　　　）。

3 老婆婆天天嘮叨不停，連她的兒子也聽得（　　　　　）了。

4 下雷陣雨了，小兒子抱着草帽（　　　　　）地回家了。

5 下了三天三夜的雨，賣草帽的兒子（　　　　　）呢?

九 根據短文內容，在正確的句子旁邊的括號內打上✓

1 參加做試驗的幾個人因爲橋太狹窄，不敢從橋上走回來。　　　（　　　）

2 教授通過試驗，證明了一個人的能力會隨着心態的好壞而變化。（　　　）

3 老婆婆整天心情不好是因爲她兒子的生意不好。　　　　　　　（　　　）

4 好心態能够幫助你結交朋友。　　　　　　　　　　　　　　　（　　　）

5 生活是否有滋有味，和心態好壞没有關係。　　　　　　　　　（　　　）

6 "心裏充滿陽光"的意思是有個好心態。　　　　　　　　　　（　　　）

十 課堂討論與寫作練習

1 人的心態會影響一個人的能力嗎? 請舉例説明。

2 《讓我們心中充滿陽光》

第十二單元　　短文二

財大氣粗

中國人現在開始有錢了。可是在80年代初，中國人還很窮。誰想出國留學，先得天女散花般地發信申請獎學金，如果有人能申請到一點微薄的生活費，那簡直就像中了六合彩一樣。周末、假期，大多數中國留學生不是在圖書館、實驗室裏努力學習，就是去餐館端盤子、洗碗或去辦公大樓當清潔工，賺點錢貼補生活。

可如今，從自己口袋裏掏錢，花個幾十萬甚至幾百萬人民幣去國外留學的各類中國學生如過江之鯽。中餐館的生意由於他們的到來而火爆起來；一身名牌，駕駛着名車去賭場的也不只是個別；聽說有個上海來的中學生，周末包一輛加長豪華轎車，到倫敦逛游一天花三千英鎊輕松瀟灑；有的人沒有駕駛執照開跑車，有人警告他，難道你不怕把人撞死？"那有什麼，死了人我賠錢！"財大氣粗到了怎樣的地步！

財大氣粗從來都不是一個褒義詞。有些人以爲，"財大"才能"氣粗"。事實上，"氣粗"並不一定非得"財大"。有一位來自浙江自費留學的女孩就"氣粗"得很有道理。

那時她在倫敦北部的一所語言學校學習。聽說即將回國的一個歐州學生的住處就在學校後門的對面，房東也非常善良，於是她就去向校方要求，等歐洲學生離校後讓她去住。相關負責人一口答應，説到時會通知她。這"到時"遲遲不到，倒有個剛來的日本學生住了進去。於是這位浙江姑娘就去找校方要個理兒，那位負責人還推托，想打發了她了事。這位姑娘義正詞嚴地説："我和所有的人交付一樣多的學費，没有少一個便士，應該得到一視同仁的服務，爲什麼你把房子給剛來的人，而讓我白等這麼久？"那負責人一下臉紅了，只好道歉，一周後她如願搬進了那個理想的住處。

有錢是好事，特別是中國人。不過，"財大氣粗"，得要看你"財"是怎麼大的？"氣"又粗在哪兒？

生詞：

散(sàn)	to scatter	微薄(wēibó)	meagre
六合彩(liùhécǎi)	lottery	端(duān)	to hold
賺(zhuàn)	to earn	貼補(tiēbǔ)	subsidise
口袋(kǒudài)	pocket	鯽(jì)	crucian carp
名牌(míngpái)	famous brand	豪華(háohuá)	luxurious
駕駛(jiàshǐ)	to drive	賭場(dǔchǎng)	casino
執照(zhízhào)	license	跑車(pǎochē)	racing car
警告(jǐnggào)	to warn	撞(zhuàng)	to crash
賠(péi)	compensate	褒義詞(bāoyìcí)	commendatory words
住處(zhùchù)	residence	推托(tuītuō)	excuse for not doing sth
打發(dǎfa)	dismiss	便士(biànshì)	pence
白等(báiděng)	waiting in vain	道歉(dàoqiàn)	apologise
如願(rúyuàn) have one's wish fulfilled		理想(lǐxiǎng)	ideal
義正詞嚴(yìzhèngcíyán) speak with justice			

練習

139

一 在下列動詞後加上恰當的名詞

散(sàn) （   ）   端(duān) （   ）   賺(zhuàn) （   ）

撞(zhuàng) （   ）   賠(péi) （   ）   等(děng) （   ）

洗(xǐ) （   ）   掃(sǎo) （   ）   賭(dǔ) （   ）

駕駛(jiàshǐ) （   ）   貼補(tiēbǔ) （   ）   警告(jǐnggào) （   ）

二 連接下面的反義詞

義正詞嚴(yìzhèngcíyán)　　　　另眼相看(lìngyǎnxiāngkàn)

微薄(wēibó)　　　　冷清(lěngqīng)

一視同仁(yīshìtóngrén)　　　　辭窮理屈(cíqiónglǐqū)

火爆(huǒbào)　　　　豐厚(fēnghòu)

褒義詞(bāoyìcí)　　　　貶義詞(biǎnyìcí)

答應(dāying)　　　　拒絕(jùjué)

三 你能根據英文解釋，翻譯出以"白"字起頭的中文詞語嗎?

Waiting in vain <u>白等</u>

Spend effort in vain_____

Have a free meal_____

Has done some thing without pay_____

四 根據英文解釋，從上面短文中找出意思相同的四字格詞語

1　who has wealth speaks louder than others

2　treat equally without discrimination

3　actions without focus

4　lots of people doing the same thing

五 先根據要求，從上面短文中找出相關的句子抄寫，然後自己造句

1　比喻：_____

2　感嘆：_____

3　反問：_____

造句（比喻）：_____

造句（感嘆）：_____

造句（反問）：_____

六 根據短文內容，填寫下面的表格

	20年前的多數中國留學生	當今的少數中國留學生
出國留學的途徑		
去餐館的目的		
業餘生活的安排		
你對新舊留學生的看法		

七 課堂討論與寫作練習

1 有錢到底是好事還是壞事？全班圍繞這個問題，分成正方和反方兩組進行辯論。

2 《如果我有一百萬英鎊》

第十二單元　　短文三

名校情結

家長望子成龍、望女成鳳，學子日思夜想要進名校。中國人的這種"名校情結"，總顯得特別強烈。

名校確實有魅力。無論是歷史悠久的牛津、劍橋，還是後起之秀的哈佛、耶魯，校園裏都洋溢着濃濃的讀書氣氛。有藏書豐富的圖書館，知識淵博的名教授，還有新穎齊全的教學設施，能够在這樣的條件下學習，的確有利於成才。問題是，進入名校就一定能成才嗎？進入名校才能成才嗎？

不，"路漫漫其修遠兮"。進入名校最多只能說是有了一個較高的起點，名校絕對不是成才的必要條件。很多歷史偉人、學者名流並非畢業於名牌大學；甚至未曾進過大學的門，一樣成爲了世界級大師。愛迪生只有小學三年級的學歷、華羅庚只有初中文憑、愛因斯坦，在報考蘇黎世聯邦工業大學工程係時沒有通過考試……，舉不勝舉。

有的考生進了名校就自以爲高人一等；有的考生沒有如願就似世界末日來臨；有的考生爲了進名校，就報考不須激烈競争，但自己並不喜愛的專業；有的考生爲了進哈佛、劍橋，一次不成功，寧願休學一年再報考，這往往是不明智的表現。

要知道，名牌大學的學生裏有平庸之輩，普通大學照樣能培養出精英。能否成材，全看個人是否努力。在名牌大學裏，有還沒畢業就被淘汰的學生，有對所學專業不感興趣而愁眉不展的，而一生無所作爲的更不在少數。其實，能學習自己喜愛的專業，將來從事自己喜愛的工作，就是幸福。千萬不要爲了虛名而葬送了自己的未來。

儒家"學而優則仕"的傳統思想，與當今急功近利的社會風氣結合，產生了這種"名校情結"。但事實早就告訴我們"條條大路通羅馬"、"英雄不問出處"。

要成龍成鳳，先得成人。"人人有才，人無全才。揚長避短，人人成才"，這才是真理。

142

專名：

牛津(Niújīn)	Oxford	劍橋(Jiànqiáo)	Cambridge
哈佛(Hāfó)	Harvard	耶魯(Yēlǔ)	Yale
華羅庚(Huàluógēng) 人名		愛迪生(Àidíshēng)	Edison

愛因斯坦(Àiyīnsītǎn) Einstein

蘇黎世聯邦工業大學(Sūlíshìliánbānggōngyèdàxué) Federal Polytechnic Academy in Zurich

生詞：

日思夜想(rìsīyèxiǎng)　　　think about day and night

舉不勝舉(jǔbúshèngjǔ)　　　too numerous to mention one by one

成才(chéngcái)　　　to become a useful person

英才(yīngcái)　　　person of outstanding ability

情結(qíngjié)	love knot	氣氛(qìfēn)	atmosphere
藏書(cángshū)	book collection	齊全(qíquán)	fully equipped
設施(shèshī)	facility	漫漫(mànmàn)	boundless
修遠(xiūyuǎn)	long and far	必要(bìyào)	necessary
條件(tiáojiàn)	conditions，	名流(míngliú)	celebrity
大師(dàshī)	great master	文憑(wénpíng)	diploma
考生(kǎoshēng)	candidate	末日(mòrì)	doomsday
競爭(jìngzhēng)	to compete	專業(zhuānyè)	speciality; dicipline
明智(míngzhì)	with sense	平庸(píngyōng)	mediocre
淘汰(táotài)	eliminate	從事(cóngshì)	deal with
虛名(xūmíng)	false reputation	葬送(zàngsòng)	to ruin
仕(shì)	be an official		

急功近利(jígōngjìnlì)　　　eager for quick success and quick benefits

揚長避短(yángchángbìduǎn) develop ones strengths and avoid shortcomings

練習

一 讀拼音寫漢字。

yuānbó	mèilì	xīnyǐng	yíngqiú
＿博	＿力	新＿	＿球
bìyè	wénpíng	liánbāng	míngzhì
＿業	文＿	＿邦	明＿
píngyōng	táotài	xūmíng	zàngsòng
平＿	＿汰	＿名	＿送

二　連接下列四字格詞語的恰當解釋

1　望子成龍　　　A　認爲比別人都高明。

2　後起之秀　　　B　希望自己的孩子成才。

3　舉不勝舉　　　C　急於求成，貪圖眼前利益。

4　高人一等　　　D　發揮自己的特長，避免自己的短處。

5　急功近利　　　E　數量多得不能都列舉出來。

6　揚長避短　　　F　形容出現的比較晚，但是非常出色。

三　判斷下列句子運用的修辭手法

1　進入名校就一定能成才嗎？

2　有的考生進了名校就自以爲高人一等；有的考生沒有如願就似世界末日來臨；有的考生爲了進名校就報考不須激烈競爭，但其實自己並不喜愛的專業。

3　但事實早就告訴我們"條條大路通羅馬"，"英雄不問出處"。

四　從下列A、B、C 或D中選出一個正確的答案

"學而優則仕"、"路漫漫其修遠兮"、"條條大路通羅馬"、"英雄不問出處"
上面這四個句子在短文中的意思依次是：　　　　　　　　　　（　　　）

A　學習好就可以做官。　　　　　路壞了要修築。
　　人要成才有很多方法。　　　　對成功的人已經不用知道他的背景。

B　學習好就可以光宗耀祖。　　　要成才還有很多路要走。
　　人要成才有很多路可以走。　　成功的人從來不在乎別人的背景。

C　學習好就可以做官。　　　　　要成才還有很長的路要走。
　　人要成才有很多路可以走。　　對成功的人來講已不用知道他的背景。

D　學習好就可以光耀門庭。　　　要成才要有漫長的路要走。
　　人要成才可以通過很多的路。　成才的人從來不在乎自己的背景。

五 英譯漢

1 There are lots of Chinese parents who only have one child in the family, and they especially long to see their children succeed in life.

翻譯：_____

2 Everyone has their own unique talents and everyone can be somebody so long as one knows how to develop one's strengths and avoid one's shortcomings.

翻譯：_____

_____

六 根據短文內容回答下列問題

1 爲什麼中國人的"名校情結"特別强烈?

2 進不了名校就成不了才嗎? 爲什麼?

七 課堂討論與寫作練習

1 你有没有"名校情結"? 爲什麼?

2 《明天》

專題指導一

中文翻譯成英文

一 翻譯六步法

下面是2001年AS 試卷中的翻譯題：

　　阿毛現在五個月了，你用手指去撥弄她的下巴，或向她做趣臉，她便會張開沒牙的嘴咯咯地笑。潤兒剛滿三歲，是個小胖子，短短的腿，走起路來，蹣跚可愛。他有時學我，兩手叠在背後，一搖一擺的，那是他自己和我們都要樂的。

　　他大姐是阿菜，已七歲了，在小學念書，在飯桌上，一定報告些同學們的事情，不管你愛聽不愛聽。 說完了總問我："爸爸知道麼？"妻常禁止她吃飯時說話，所以她總是問我。

"Edexcel Ltd. accepts no responsibility whatsoever for the accuracy or method of working in the answers given".

拿到考題，可以分成六步去做：

第一步，先把感到疑難的詞或詞組列出來。下面是不少學生覺得有難度的、翻譯出錯比較多的詞或詞組：

　　撥弄、沒牙的嘴、咯咯地笑、蹣跚、一搖一擺

第二步，想想這些詞或者詞組應該怎麼翻譯？如果有幾種譯法，哪個選項好？下面是出現在學生試卷中的各種翻譯：

　　撥弄：to fiddle with; to stir up; to move to and fro; **to tickle**

　　沒牙的嘴：mouth without tooth; there is no tooth in the mouth; **toothless mouth**

　　咯咯地笑：smile; laugh; laugh with 'gege' sound; **chuckle; giggle;**

　　蹣跚：walk haltingly; limp; hobble; slowly; **toddle**

　　一搖一擺：pendulous；wavering; move side to side; swing; **waddling**

　　選擇結果：顯然，根據上下文，粗體字的翻譯爲恰當。

第三步，文中用了哪些關聯詞？與這些關聯詞對應的英語是什麼？例如：

　　或：or 是正確的翻譯，翻譯成and就錯了。

　　不管： no matter; whether

　　所以： that is why

第四步，細節不要遺漏。

剛：just　　有時：sometimes　已：already　　總：always (譯成often 就不好)

能否把握細節直接影響到譯文的准確性，不能忽略。

第五步，在運用正確的句式、恰當的選項翻譯全文的時候，還要注意場景語境。比如：

"小胖子"，大多學生只是把它直接翻譯成little fat boy，但也有學生注意推敲把它翻譯成chubby little boy。後一種翻譯是不是讓一個胖嘟嘟的小男孩多了點可愛勁兒？

"爸爸知道嗎？"一般會將它翻譯成"Did father know that?"，如果你腦中有場景的話：一家人圍坐一起吃晚飯，7歲的小女兒嘰嘰喳喳地説個没完，也不管你愛聽不愛聽，還要問"Daddy, did you know that?"或"Did you know that, Daddy?" 這樣的翻譯是不是更符合小女孩説話的特點？

第六步，任何語種間的翻譯，不可能每個詞都有完全對應的；有的詞句在一定的上下文中，如果按字面翻譯，就會顯得生硬牽强，甚至意思全錯了。應該努力翻譯出英國味兒來。

比如：在這段文字中"一定"，英國學生一般會把它翻譯成invariably，但是不少中國學生則把它譯成must；certainly；"報告些同學們的事情" ，有的甚至非常呆板地按照英文原句的語序翻譯，譯成 reported her classmates' things。如果譯成 tell you stories of her classmates，是不是就自然得多？

"on"是有"在……上"的意思，但是如果把"在飯桌上"at the dinner table 翻譯成on the dinner table，一個介詞用錯就會鬧笑話了：再翻譯回中文時，意思就變成了"阿菜站在飯桌上報告些同學們的事兒"。

注意：翻譯人名、地名時，只要按照它們的普通話讀音，寫成拼音，並將聲母或零聲母音節的第一個 字母大寫。

147

二　翻譯練習

1 連接下面意思相同的中、英文詞語。

總算	simply	當然	obviously
簡直	after all	也許	fortunately
幾乎	even/go so far as	顯然	probably/perhaps
甚至	almost	幸虧	of course/certainly
竟然	unexpectedly	經常	already

左右	about	已經	often
偏偏	contrary to what was expected/unfortunately		

2 參考翻譯練習的詞語，把下列句子翻譯成英語

1）舅舅顯然不相信自己的女兒被倫敦大學錄取了，竟然問了一遍又一遍。

翻譯：＿＿＿＿＿＿＿＿＿＿＿＿＿＿＿＿＿＿＿＿＿＿＿＿＿＿

2）因爲姑姑快80歲了，所以經常會忘記鑰匙放在哪兒了。

翻譯：＿＿＿＿＿＿＿＿＿＿＿＿＿＿＿＿＿＿＿＿＿＿＿＿＿＿

3）當留學生們正要去參加燒烤聚會的時候，天偏偏下起大雨來了。

翻譯：＿＿＿＿＿＿＿＿＿＿＿＿＿＿＿＿＿＿＿＿＿＿＿＿＿＿

4）這個英國姑娘除了會説法文、德文以外，甚至還會説非常漂亮的普通話。

翻譯：＿＿＿＿＿＿＿＿＿＿＿＿＿＿＿＿＿＿＿＿＿＿＿＿＿＿

5）幸虧我没有遲到，那已經是今天最後一班火車了。

翻譯：＿＿＿＿＿＿＿＿＿＿＿＿＿＿＿＿＿＿＿＿＿＿＿＿＿＿

6）英國同學簡直不相信麗麗幾乎一個中國字也不認識。

翻譯：＿＿＿＿＿＿＿＿＿＿＿＿＿＿＿＿＿＿＿＿＿＿＿＿＿＿

7）德國的小田總算結婚了，她的父母當然很高興。

翻譯：＿＿＿＿＿＿＿＿＿＿＿＿＿＿＿＿＿＿＿＿＿＿＿＿＿＿

8）劉潔從劍橋大學畢業後也許會回美國當教員。

翻譯：＿＿＿＿＿＿＿＿＿＿＿＿＿＿＿＿＿＿＿＿＿＿＿＿＿＿

3 請完成上面2001年 AS 試卷中的翻譯題

4 請將下面的中文短文翻譯成英文

隨着越來越多的中國學生出國留學，現在英國的大學、中學和小學裏，都有聰明、勤奮、努力的中國留學生。

英國教師在教室裏，與學生的關係是平等的。大多數英國老師不會一個人講一堂課，而是會經常和學生一起討論，有時甚至辯論。只要你有一點點進步，老師就會非常高興地表揚你。這可以增強學生的自信心。

歷史上英國出過80位諾貝爾獎獲得者，大家認爲英國是全世界教育水平最高的國家之一，所以目前在英國有80多萬國際學生就不奇怪了。

*Glossary

諾貝爾：Nobel

專題指導二

審題與選材

關於AS的寫作，經常會聽到學生和教師的埋怨，主要有兩點：

1 只允許用180–200個字寫一篇文章，還要規定寫什麼，這叫人怎麼寫！

2 有剛從兩岸三地來英國念A-Level或者去國際學校念預科的學生，書寫漂亮、語言流暢、詞匯豐富，爲什麼却寫不好AS所要求的作文，考不到好成績？

這當然是沒有達到AS大綱關於寫作的要求："Task fully grasped; answer wholly relevant and convincing. Excellent knowledge and understanding."

事實上，寫言簡意賅的AS作文是學生的一個重要的技能。在生活節奏加快的今天，微型小說應運而生並受到讀者的歡迎。對于學生而言，AS作文的要求並不過分。那麼，怎么用180–200字來圍繞考題要求寫出好文章來呢？

一 我們以2006年AS試卷中的作文題爲例來作分析和指導。

你的學校會安排同學參加暑期漢語班：

游覽中國　　　學習漢語　　暑期漢語班

學習內容：　　聽、講、讀能力訓練

學習時間：　　四星期

活動內容：　　上午課堂學習，下午參觀古今名勝，文化講座，周末自由 活動

（可安排代購音樂會或各類藝術表演入場票）

在報名之前，老師要每個同學<u>用中文</u>寫出自己的希望和興趣（180–200字），讓他知道：

- 你最想去哪個城市，爲什麼？
- 對學習內容有什麼建議？
- 自由活動時間最想做什麼，爲什麼？
- 對這次暑期班有什麼特別期待？

1 動筆之前，先得審題：

1）"用中文"三個字下加了綫，強調不能用英文寫。

2）回應規定的要點時要清楚：

A 這次漢語班的主題是"游覽中國，學習漢語"，所以你選擇的城市必須是在中國，並且只能選一個。

B 你要針對"學習內容"提出建議，而不是活動內容、住宿安排等。學習班的目的在于提高學生的漢語水平，你自己想在什麼方面得到提高，或在學漢語過程中有什麼困難，希望漢語班能安排哪些方面的訓練，都可作建議提出來。

C 自由活動時間可以旅游、逛街、購物、去聽音樂會或看表演等，但是要注意寫明原因。

D "建議"與"期待"是兩個不同的概念，注意不要把這個要點跟第二個要點混淆了。你要談的是對這個暑期班的期待，尤其要注意到這期待的"特別"之處。

3）全文不能超過200字。

2 寫作材料，推敲取捨：

回應要點1的不同情況：

• 中國有很多名勝古迹，我最想去"上有天堂，下有蘇杭"的　（兩個城市）蘇州、杭州。

• 我最想去四川，因爲我喜歡吃川菜，又辣又香，非常過癮。　（不是城市）

• 我最想出九寨溝，據説夏天的九寨溝綠茵繞湖，鶯飛燕舞，　（不是城市）風景如畫。

• 我最想去日本的東京，日本的電子產品設計精巧實用，我　（不在中國）要去大大採購一下。

• 我最想去香港，那兒有很多高樓大廈，還有東方明珠電視　（常識錯誤）臺，在上面可以看到維多利亞港。

• 北京是中國的首都，有悠久的歷史，又有現代的氣氛，所以　（比較籠統）北京是我最想去的城市。

• 北京有明清兩代的古典建築，又有"鳥巢"式的奧運主體育　（理由充足場，想學建築的我應該去看看。　　　　　　　　　　　　　常識豐富）

回應要點2的不同情況：

• 這次漢語班有聽、講、讀能力訓練，所以我很滿意，沒有什麼要建議的。　　　　　　　　　　　　　　　　　　　　　　　（答非所問）

- 我建議一定要安排我們去參觀中國的學校，如果能住在當地人家裏就更好了。 （並不屬於學習內容）

- 這次漢語班，只有聽、講、讀能力的訓練，所以應該加上寫的能力訓練，寫是很重要的。 （回應太少）

- 普通話的第二、第四聲我總是發不准，我希望漢語班能多安排一些口語訓練。 （有針對性）

- 希望學習內容裏有書法教學，這不僅可以提高我們寫字的興趣，書法還是一門藝術呢。 （有常識性）

- 如果下午要去哪兒參觀，上午學習時就教些相關的詞語，介紹些相關的歷史故事，邊學邊用記得牢。 （很有創見）

回應要點3的不同情況：

- 自由活動時間我最想去參觀復旦大學、交通大學、同濟大學，因爲它們都很有名。 （單調籠統）

- 自由活動時我最想逛街，買些紀念品，品嘗當地小吃，去看看普通人的生活。 （缺乏特色）

- 我很想去看歷史悠久，壯觀雄偉的長城，寬廣美麗干净的天安門廣場，還要見見那勤勞善良的人民。 （華而不實）

- 萬裏長城是中國的驕傲，歷史悠久，雄偉壯觀，我一定要去，"不到長城非好漢"嘛。 （回應要點但無新意）

- 我下午想品嘗北京烤鴨，晚上一定要去看一場京劇《霸王別姬》，色彩豐富的臉譜很有意思。

- 我要乘坐三輪車去參觀北京的胡同、四合院，如果能去當地人家一起包餃子吃一定很有意思。 （常識豐富京味濃郁）

回應要點4的不同情況：

- 通過這個暑期班，我希望開闊眼界，增長見識。 （老套空洞）

151

· 1 提高我的口語水平，敢於開口與當地人交談，並能够獨自在中國上街購物，這是我對漢語班最大的期望。

· 2 期望在這個暑期班裏學得愉快，玩得盡興，還能結識一些新朋友。

· 3 期望學會用毛筆寫出漂亮的 "壽" 字，送給爺爺做生日禮 　（相當實在）物，他一定高興。

· 除了能提高漢語，游覽香港外，我特別期望去拜訪從見過面 　（有所特別）的姑媽。

"Edexcel Ltd. accepts no responsibility whatsoever for the accuracy or method of working in the answers given".

　　總而言之，AS的作文應該開門見山，下筆直奔要點；擠去水分，努力做到句句言之有物；字裏行間，要能體現出有關中國的常識。

二 希望以上的比較分析能打開你的思路，啟發你的思維。現在請你來完成2006年AS試卷中的作文。

三 寫作練習
　　你的學校準備組織一個名爲 "看一眼中國" 的暑期活動，爲期十天。中國的國土面積是960萬平方公里，她有56個民族，34個省、市、自治區，去哪兒 "看一眼" 呢？老師想聽聽學生們的建議，要求大家用180–200個字寫一篇短文，内容包括：
　　1 你認爲哪些名勝古迹是一定要去的？爲什麼？
　　2 除了名勝古迹之外，到了中國還可以去看些什麼？
　　3 去中國，同學們應該準備帶些什麼？
　　4 在中國，同學們應該注意些什麼？
　　5 你最想在中國購買什麼紀念品？

專題指導三

謀篇布局

寫文章等於是建房子，你就是建築師。AS作文有一定的字數要求，並規定作文必須包括哪些要點，這就等於是一位客戶給你提供了可用土地、金額、要求，甚至連購買建築材料的店鋪也已經給你訂下了。於是你必須先到定點商店去看看，挑選出你認爲適用的建材，然後想想怎麼在規定的這些框架下，建出一幢漂亮的小房子。動工前先畫出藍圖，這就叫謀篇布局。

現在用2004年AS 的作文爲例來作分析與指導：
你參加了這個交流中心主辦的一個漢語短訓班：

國際交流中心　　　　　暑期漢語文化班
提升漢語聽讀能力　　了解當地生活文化
多個城市由你選擇
學習內容：　漢語、中國文化
學習時間：　四星期
活動內容：　除課堂學習外，參觀歷史景點、現代建築、組織文娛、購物等活動，與當地人交流

回來後，用中文寫一封信（180-200字）給交流中心的負責人<u>王小姐</u>，告訴她：你有什麼滿意<u>和</u>不滿意的。
這一次去的是哪一個城市。
對這個城市的印象。
活動的內容。
你的建議。
Remember to start and end your letter appropriately， 注意書信的上下款。

第一步：審題

1 這是書信體作文，中文書信體格式不同於英文的。

2 你已經參加過暑期漢語文化班了，信寫給誰也非常明確，所以題目是要求你回來後給舉辦單位的負責人"王小姐"寫信。

3 雖然說有多個城市由你選擇，但這是漢語短訓班，根據常理，應該選擇中國的城市、並要注意寫出對所去城市的印象。

4 活動內容可以從多方面選，宣傳資料裏給了我們一些提示。

5 特別要注意的是，你要告訴王小姐關於這次漢語短訓班的滿意和不滿意處。題目要求特別在"滿意和不滿意"間的"和"下加了綫，説明兩方面都要寫。

6 因爲有不滿意處，所以很自然可以引出你有些什麼好的建議，來幫助國際交流中心改進他們的工作。

第二步：選材

AS 作文的選材就是到客户規定的商店去採購建築材料。"巧媳婦難爲無米之炊"，沒有建材就造不了房子，而如果建材不夠，質量不好，就建不成好房子。所以得圍繞要點，選擇典型、生動、新穎並能反映出有關中國常識的材料。

要點一，注意只選擇一個城市。

要點二，注意突出所選城市的特色。不少學生，無論他們是寫北京、上海還是香港，都會提到"高樓大廈很多，馬路上有很多車輛，人們熱情友好，給我留下了深刻美好的印象"等。這幾句話寫哪個城市都可以，等於説了建築材料店裏有磚瓦，有水泥，但沒有説型號、顏色、牌子等，沒有實實在在的內容。

比較下面兩段：

"古老的北京有這麼多嶄新的摩天大廈，越來越多的私家車取代了自行車，街道常堵塞，北京人很友好但嗓門太大。這是一個繁榮又噪雜的都市。"

"入夜，上海的街市亮起五顏六色的燈光，高聳的大樓一片燦爛，街上人來人往，比白天都熱鬧。想起上海，就想起'不夜城'三個字。"

差不多的角度和字數，但材料具體、生動、新穎了，得出的"印象"也就站得住脚了。

要點三，不少考生沒有認真動腦，盲目照抄宣傳資料上的"活動內容"，那當然就錯了。宣傳材料只是給你提供一個思考的方向，你自己要思考的是：你參觀了什麼歷史景點？哪些現代建築？你到中國一般會看些什麼文娛演出？你到中國一般會買些什麼？哪些地方是購物的熱點？到中國一般會買些什麼？在不同的場合你怎麼與當地人交流？當然，200字的短文不可能面面俱到地談，取其一點即可。

要點四，針對上文寫到的不滿意之處提出相應的建議。

三　謀篇布局

在充分領會題意的基礎上，我們對寫作材料經過了選擇、加工、提煉後，現在就進入了謀篇布局的階段。

開頭、中心、結尾、如何過渡呼應都要做到心中有數。不要被AS作文規定的要點次序限制束縛住了，這些要點並不是要你依次回答問題，而是告訴你文章需

要涉及到的內容。只要回應到規定的要點,如何安排可以有不同的思路。請閱讀下面一篇短文:

王小姐:您好!

我剛從短訓班回來,普通話的發音明顯進步了。

老師常讓我們逐個上臺說3分鐘普通話,有錯他及時糾正,有進步他就熱情地鼓勵;有時我們還組織小組辯論,他做裁判。

上海的現代建築真棒。登上了東方明珠電視塔和88層高的金茂大廈,俯瞰上海,比從埃菲爾鐵塔看巴黎還美。我們還去上海大劇院看了莫斯科芭蕾舞劇團演的《天鵝湖》呢!一個生機勃勃的國際化大都市。

大學的宿舍很好,但是暑假只有我們海外來的學生,没機會與當地人交流。建議下次安排我們住本地居民家,既可練口語,還可交朋友呢。

　　　　祝

工作順利!

胡曉麗
2004年5月26日

這篇短文的謀篇布局有不少可取之處:

1 作者開門見山告訴王小姐她剛參加了漢語短訓班回來並有所收獲,没有廢話。

2 靈活地結合要點三,點明去的城市是上海,由要點三自然得出對這個城市的印象———一個生機勃勃的國際化大都市。三個要點結合緊湊,貫通一氣。

3 雖然全文没有"滿意"、"不滿意"的字樣,但她"滿意和不滿意"的地方讀者一看就明白。可喜的是,該考生還對材料做了詳略處理:

贊同老師的教學方法,使她收獲不小———改進發音、增強自信。去參加漢語短訓班,能否提高漢語是參與者首先要考慮的,所以作爲主要滿意點來處理。

"大學的宿舍很好"7個字,讓讀者知道她對住宿條件是滿意的,並且還讓我們知道他們這次住宿是被安排在大學宿舍,多給了一個信息。特別巧妙的是,該學生以退爲進,先表揚後批評,引出她不滿意的地方———交流中心的安排並没有實現他們的承諾———給留學生提供與當地人交流的機會。因爲有不滿意的地方,所以非常有針對性地提出自己的建議,讓人心服口服。

從上面的短文,我們不難看出,200個字也可以寫出好文章。捨去任何一個可有可無的字,每個字都用來表達具體的內容。

注意：

1 信的抬頭之後要用冒號"："，而不是像英文那樣用逗號"，"。

2 如果是書信體，上、下款的字數是不算在200字內的。

"Edexcel Ltd. accepts no responsibility whatsoever for the accuracy or method of working in the answers given".

四 寫作練習

在GCSE的會考中，英國學生愛麗絲得了5個A*、3個A和1個B，她父母高興地說："WELL DONE，ALICE！"。黃迎洪得了9個A*和 1 個A，他媽媽說："爲什麼李海能得11個A*，而你不能？"在類似情況下，你的父母是怎麼反應的呢？你心裏有些什麼話想對你父母親說？請給他們寫封信，不超過200字，包括以下要點：

1 XX考試你得了什麼分數？ 拿到分數以後，你的心情怎麼樣？

2 你的父母得知考試結果後的反應。

3 你如何看待自己父母的反應？

4 你覺得中國父母與西方父母在對待子女的教育上有什麼不同？

Remember to start and end your letter appropriately, 注意書信的上下款。

英譯漢

歷年來，英國A-Level的A2試卷中的翻譯題並不難，但是能够達到Excellent transfer of meaning showing awareness of nuance and idiom; excellent range of structure appropriately used. High level of accuracy這一檔分數的學生很少。究其原因，有如下8個方面：

一 英文翻譯成中文的常見錯誤

以2006 A2 試卷的翻譯題爲例：

Eight ducklings were just a week old, and their mother carelessly lost them down a drain. While the mother was big enough to cross the gaps of the cover, her following babies were not so lucky and dropped one by one down the drain. It took four hours to save the eight ducklings.

An RSPCA rescue team arrived at the scene after passers-by heard the ducklings cheeping and saw their mother desperately looking down the drain. Crowds watched anxiously as officers removed the drain cover and tried to pluck them up to safety. Eventually all of them were returned unharmed to their mother. "I am glad there was a happy ending", one of the officers said.

Glossary

drain: 下水道　　cheeping: 呱呱叫　　RSPCA：皇家保護動物協會

常見錯誤

1 死守原文

學生被英文原文束縛住了，於是忘記了中文句式結構、習慣用法以及中文語序與英文的有很大的不同。原文的第一段中有兩個"and"，學生錯誤地把"and"翻譯成"和"字來連接上下兩個分句："八隻小鴨子出生才一個星期，和鴨媽媽就不小心讓它們掉進下水道裏不見了。鴨媽媽身體大，可以跨過有縫的蓋子，可跟在後面的小鴨子就沒那麼幸運，和一隻一隻地掉進下水道裏了。"主要意思翻譯得很好，但是把"and"翻譯成"和"加在上下文中，讀起來非常別扭。

又如："An RSPCA rescue team arrived at the scene after passers-by heard the ducklings cheeping and saw their mother desperately looking down the drain. Crowds watched anxiously as officers removed the drain cover and tried to pluck them up to safety" 的翻譯應該是 "在過路人聽到小鴨子的呱呱叫聲，又見鴨媽媽絶望地朝下水道裏面看之後，皇家保護動物協會救援隊到達了現場"。但有的學生：

A 因爲呆板地遵循英文語序，翻譯成 "皇家保護動物協會救援隊到達現場後，行人聽見小鴨的叫聲，又看見鴨媽媽絶望地朝下水道看"，語序錯誤導致背離原意；

B 這句中的"and"或者不翻譯或者翻譯成 "又"、"還"，就是不能翻譯成 "和"。請注意："和" 一般只能用來連接名詞、代詞或名詞短語，不能連接動詞或動詞短語，更不能連接分句。如果硬翻譯出來，念一遍就可以發現文章已經完全沒有了中國味兒。

2 脱離原文

這類錯誤比較多發生在剛從兩岸三地來英國的留學生中，中文基礎很好，英文短文基本看得懂，但不是每個詞語都能恰當地理解。由於這篇短文的故事性很強，有的學生就根據自己的理解，寫出了一個意思差不多的中文小報道。AS作文中 "出色地翻譯出文中的細節與習慣用語，恰當地運用不同的句式，高度的精確性" 的要求肯定就無法達到，分數下跌也是必然的。

158

3 更換主語

我們仍然用原文第二段的句子來分析。有的學生譯成 "協會會員聽見小鴨叫"，有的譯成 "救援隊來了現場，看到鴨媽媽緊張地看着下水道"，有的譯成 "皇家保護動物協會收到報告，派救援隊奔赴事發現場"，諸如此類，問題較多。由於對指示代詞的理解錯誤，把第1段中"It took four hours to save the eight ducklings"翻譯成 "鴨媽媽花了四個小時才把八個孩子救上來" 的情況也有發生。

4 忽視細節

"Eight ducklings were just a week old"中 "八隻小鴨子**只有**一周大"；"her following babies were not so lucky"中 "跟着她後面的小鴨子**就沒有那麽**幸運了"；"Eventually all of them were returned unharmed to their mother"中 "**終於**它們**全部**被送回鴨媽媽身邊，**没有受傷**"，如果忽略了這些黑體字，譯文的精確性和流暢性就會大打折扣。

5 數量問題

"passers-by"是複數，可以譯成 "行人"、"過路人" 或 "行人們"、"路人們”，但是譯成“一個過路人”就錯了。

6 用錯義項

　　“to cross the gaps of the cover”中的“to cross”作爲動詞，在不同的上下文中可以有不同的譯法，因爲鴨子要“過”的是“有縫的蓋”，所以譯成“走過”、“跨過”、“橫過”爲好。有學生譯成“穿過蓋的縫”或“游過下水道”意思就完全錯了。

　　“cover”作爲名詞可譯成“蓋子”、“封面”，作爲動詞是“覆蓋”。有不少學生把“the gaps of the cover”中的“cover”當作動詞來處理，所以就出現了“母鴨大得可以覆住下水道口”的奇怪翻譯。

7 忽略不譯

　　有的考生碰到比較棘手或沒有把握的詞，就故意略過不譯。

　　比如“rescue team”——救援隊；“crowds”——人群、民衆、人們；“desperately”——絕望地、拼命地等等。“絕望地”忽略不翻譯影響的是譯文的准確性和生動性，同樣，不翻譯“救援隊”或“人群”就造成譯文表意不清。

8 缺乏邏輯

　　把“lost them down a drain”譯成“鴨媽媽把孩子丟下了下水道”的學生相當多，實際上多想一下，鴨媽媽怎麼會自己把小鴨子丟下下水道呢？也有不少學生把這句翻譯成“鴨媽媽在下水道把小鴨子丟失了”，“lost them down”中的“down”表示“lost”的趨向，不是方位名詞。再來看一下“It took four hours to save the eight ducklings”這個句子，有學生翻譯成“鴨媽媽花了四個小時才把八個孩子救上來”，這部分學生主要是缺乏邏輯思維，才會把“it”翻譯成“鴨媽媽”。

"Edexcel Ltd. accepts no responsibility whatsoever for the accuracy or method of working in the answers given".

　　所以在英譯漢時，不要被英文原文的結構捆綁住，也不要想當然編一篇譯文。注意不能隨便更換主語，不要漏詞，要注意細節、單數或複數，要選擇正確的義項與句式，一步一步地來仔細考慮，再下筆成文。

二 根據要求把下列的英文句子翻譯成中文

　　1 Urbanisation in China has developed faster than anywhere else.

　　(A比B+ verb+得+result)

翻譯 源遠流長 _____

2 Pollution in China is more serious than that in the West.

(A比B+adjective)

翻譯 中國的污染比西方便嚴重。 問題

3 An apartment in Shanghai is as expensive as one in Beijing.

(A跟B+ adjective)

翻譯 上海和北京的公寓都是一樣貴。

4 American history is not as long as Chinese.

(A沒有B + adjective)

翻譯 美國的沒有中國歷史那麼源遠流長。

5 Some cities do not even care about their own cultural heritage.

(連……都/也construction)

翻譯 有些城市連他們的文化歷史也下理會。

6 I haven't heard anything about the Earth Castle in the south of China.

(什麼都/也沒有 or 一點也沒sentence)

翻譯 我沒有聽過一個在中國南部的城堡。

7 Apart from modernisation, a city should have its own characteristics.

(除了……以外……)

翻譯 一個城市除了成長以外還要有他的特性。

8 No matter how fast the economy develops, we still have to pay attention to our environment.

(無論……都……)

翻譯 無論經濟進展的速度，我們還要注意環境。

9 Every nation should keep its unique tradition well; otherwise our world would no longer be so colourful.

(不然/否則)

翻譯 _____

10 You can knock down this old house only in unavoidable circumstances.

(只有……才……)

翻譯 只有在無可避免的時候才拆掉

11 Every one knows it as long as you mention this courtyard house.

(只要……就……)

翻譯 只要提起這天井，人都會明白的了。這間古屋

12 Whilst the Chinese economy is developing rapidly, the gap between poor and rich is getting larger.

Use （當……的時候/之時）and （正在/在……）two patterns together

翻譯 中國日益發展長的時候，窮貧富有和貧窮的人的分別越來越大。

13 Courtyard houses are loved by more and more people.

Use （被動句）and (越來越) two patterns together

翻譯 天井屋越來走些多人喜愛。

14 The airport staff had this area cleaned several times.

（"把"字句）

15 We should regard the interests of ordinary people as of prime importance.

（以……為……）

翻譯 我們以百姓的利益為最重要的任務。

三 完成2006年A2試卷翻譯題

四 把下面的英文短文翻譯成中文

　　I heard a story from a teacher at London University. A journalist asks three students from America, Britain and China: "What's your personal opinion about the international food shortage"?

　　The American replies: "What does international mean?" The British student asks: "What is food shortage?" And the Chinese student says, "What do you mean by personal opinion?"

　　Until the 1980s, the Chinese were closed off from the world. We were not used to having our own "personal" opinions. However, we know a lot of things that Western people don't. This is why more and more Chinese students would like to study abroad, and share the differences with students from all over the world.

我從一名在倫敦教書的老師聽過一個故事。一名記者問三名美國、英國和中國的學生："你對國際不夠食物的意見？"

美國的學生問："什麼是食物阿？"

英國的學生問："什麼是不夠的食物阿？"

中國的學生問："什麼是意見阿？"

世界糧食聯決

專題指導五

茹志鵑與《百合花》

一 作者簡介

　　茹志鵑1925年10月30日生於上海，祖籍杭州。祖上經營生絲行業，後家族沒落，成爲城市貧民。三歲時母親病逝，父親弃家出走。兄寄居親戚家，她隨祖母輾轉上海、杭州，做些糊火柴盒、鎖紐扣洞等零活糊口。13歲時，祖母因胃痛無錢治療疼痛而死。她進了基督教辦的"以馬内利"孤兒院，後由兄領出，進婦女補習班，總共讀書不滿四年。

　　1943年1月22日，茹志鵑的第一篇作品《生活》發表在《申報》上，同年隨兄參加新四軍，後爲前綫話劇團演員、組長，文工團創作組副組長。

　　47年入黨，55年復員回上海，任《文藝月報》編輯，後又任《上海文學》編委。

　　1958年，在反右運動聲浪高漲之際，她丈夫被打成右派。由於沒有與丈夫離婚"劃清界綫"，人們看她的眼光异樣，她深感世態炎凉。面對冷酷的現實，她特別懷念戰争年代人與人之間肝膽相照、潔白無瑕的愛。根據她在新四軍衛生隊的親身經歷，創作了《百合花》。這篇短篇小説是作者傾注着真摯的感情，運用細膩的筆觸寫成，與當時雄壯高昂的口號式創作風氣格格不入，爲此她差點被打成"右派"。幸虧當時十分有地位的大作家茅盾寫專文盛贊《百合花》才躲過一難。茹志鵑在文革中吃了很多苦，直到77年後她才又重新提筆創作，寫出了如《兒女情》、《家務事》等很多膾炙人口的作品。

　　1998年10月7日，茹志鵑在上海病逝。

二 《百合花》簡介

　　《百合花》中出現的戰士和老百姓平凡得連名字也沒有給讀者留下，但他們互相關心，互相幫助以及富有犧牲精神的感人事迹深深地烙印在讀者心裏。

　　連年的戰争使得人民貧困不堪，民不聊生。小學校野草叢生多時不開課；鄉干部的破氈帽只能用硬拍紙擋光；新媳婦的全部嫁妝只有一條被子；中秋節大家只能做幾個乾菜月餅……可是百姓們把鷄蛋送到包紮所，把乾菜月餅與戰士一起分享，男人們上前綫作擔架隊員，女人們去包紮所燒鍋洗衣服。部隊的被子還沒有下來，百姓們把棉絮、被子乃至唯一的新婚被都借給了部隊的包紮所。

　　同樣，部隊的戰士尊重、愛護百姓。他們紀律嚴明，借被子打借條，"借不到被子事小，得罪了老百姓影響可不好”；通訊員不是被敵人的槍彈擊中，而是在生死關頭，自己將年輕健壯的身軀毫不猶豫地撲到炸彈上，把生的希望留給百姓。

通訊員得知百合花被子是過門才三天的新媳婦的唯一嫁妝，爲難地要還回去；回部隊前他還把自己的口糧留給“我”；最後爲了救百姓通訊員獻出了寶貴的生命。新媳婦得知戰士打仗爲百姓，戰士流血没有被子怕冷時就借出了唯一的嫁妝，最後還將自己才蓋了三天的新被子永遠地奉獻給了通訊員。當通訊員返回部隊時“我”依依不捨，望着他肩頭的破布片在風中飄蕩時的自責和擔心；吃着乾菜月餅時，“我”一邊思念通訊員，一邊爲他安危擔驚受怕……凡此種種，我們可見“我”、通訊員與新媳婦，因爲這場戰爭，萍水相逢，但在不到一天的時間裏，結下的却是最深厚、最美好的情誼，形象地展現了百合花象征的“純潔與感情”。

三 思考題

1 有學生認爲，通訊員第一次去向新媳婦借被子不成，是因爲新媳婦有小農思想。你同意這種説法嗎？爲什麼？

2 對於“她把自己那條白百合花的新被，鋪在外面屋檐下的一塊門板上”有三種不同的理解：

A 新媳婦想“藏被子”，雖然借出去了，但是還不捨得，被子鋪在外面屋檐下就可能没有傷病員可以用。

B 反映了新媳婦的大方慷慨，她把對自己來説是這麼珍貴的一條新被，就鋪在外面屋檐下的一塊門板上，不在乎風吹雨淋。

C 對於人物分析來講，這句話並不重要。但是從上下文的聯繫來講，作者這樣安排比較合理。不然，最後通訊員被送到包紮所時，擔架隊員們怎麼有地方圍着通訊員的病床不肯走呢？

談談你對這句話的理解。

3 細膩，是茹志鵑作品非常突出的風格。《百合花》這篇小説是怎麼體現出她的這一寫作風格的？

4 與文章主要情節没有直接關係的内容叫做“插叙”。這篇小説中的哪部分是插叙？作者安排這段插叙爲了表現什麼？

注意點：《百合花》的材料來源於作者的生活，但是小説的“我”不等於作者。因此，在分析該小説的時候，不能把“我”用“作者”來替代！

163

專題指導六

王蒙與《説客盈門》

一 作者簡介

　　王蒙，杰出的當代作家，祖籍河北南皮人，1934年生於北京。14歲入黨，19歲寫出《青春萬歲》，20來歲發表《組織部新來的年輕人》。因爲書中説的是青年人要求改革黨内、組織部内的官僚主義，王蒙受到非議甚至批判。没想到的是毛澤東喜歡這本書，並發話"誰説北京没有官僚主義"，於是王蒙暫時過關。但要整他的人天天找他談話，要他狠挖自己思想深處的想法，向黨交待。只有24歲的王蒙在這樣苦逼誘供下，就説自己曾想過，如果中國像英國海的德公園那樣，誰有什麽主張，都可以拉一個肥皂箱來，自己站上去任意發表，那有多麽舒服，多麽自由啊。這就成了他是資産階級右派的鐵證，被打成了右派，後貶到新疆16年。

　　文革後，王蒙進入了創作高峰，寫出了《活動變形人》、《青狐》、《王蒙評點紅樓夢》等各類優秀作品。歷任《人民文學》主編、中國作家協會副主席、文化部長、國際筆會中心中國分會副會長等職，他還曾連續四年獲得諾貝爾獎提名。

　　《説客盈門》是王蒙文革後創作的第一部小説。

二 《説客盈門》簡介

　　作品通過主人翁丁一於1959年在農村被錯打成右派、文革中被打、被鬥、被關牛棚得遭遇，以及1979年被改正並擔任縣屬玫瑰香漿糊廠廠長後所經歷的"説客盈門"，展現了長期以來革命運動接連不斷的社會現狀，反映了文革剛結束後社會的混亂、矛盾與衝突。漿糊廠是中國的縮影，作者以小見大，形象地揭示了中國撥亂反正、改革開放的必要性、艱巨性和可行性。

　　1958至1959年間，中國從上到下鼓吹"人有多大膽，地有多高産"，大話、假話、空話盛行一時。丁一爲了求真實、講真話，硬要去查年初和年終的兩本帳，而這一查，便會查出各級領導的"豪言壯語"最終根本做不到的真相。領導弄虚作假，最終遭殃的是百姓。然而在當時的政治環境下，實事求是、堅持原則的丁一被打成右派，從此日子每况愈下。

　　在十年文革中，丁一曾被押上臺批鬥，被打得"屎都拉在褲子裏"，還被關牛棚。老婆、孩子跟着遭殃，全家受盡折磨與凌辱。

　　1976年，文革終於結束。1979年中央推行了撥亂反正，改革開放的新政策。丁一也被"落實到政策上去了"，不僅恢復了黨籍，還被任命爲縣屬玫瑰香漿糊廠的廠長。昔日遭難時没人搭理的丁一，頓時受到很多人的恭賀和恭維，但是丁一都不予理睬。他不喜歡溜須拍馬，拉拉扯扯的一套。可見他頭腦的清醒，爲人的正直。

　　丁一就任之際，正值文革結束不久，國家長期動亂不安，社會的不正之風盛行。漿糊廠紀律松弛，工人們習慣吃大鍋飯，出工不出力，"上班時間睡大覺"，工作没有積極性；管理不善，公私不分，"明拿暗揣，私分私賣"面筋。丁一爲整頓秩序，建立獎懲制度，決定解除一個目無紀律、蠻橫無理、拒絕接受教育的合同工龔鼎。可"一日三催，花了四十多天"，才讓十幾個部門通過他的決定。可見小小的漿糊廠機構龐雜，人浮於事，官僚主義嚴重，辦事没有效率。

　　他合情、合理、合法地解除了龔鼎的合同，只不過這個"小二流子"是縣委第一把手李書記的表侄，就引來了"盈門"的"説客"。各種各樣的説客，拉攏賄賂、威脅利誘、軟硬兼施、指責謾罵……凡此種種，都來阻止丁一的決定。從"找誰開刀不行，專找縣委領導的親戚"到"領導人的權力、好惡、印象至關重要"，我們不難看出這是個"官本位"的社會。當領導的官官相護，"有權就有一切"，人治大於法治。而老百姓對領導誠惶誠恐，奉承拍馬，拉攏關係，希望"小人物有了關係也什麼有一點兒"，"别的没學會，還没學會轉彎子"，"與人方便，自己方便"，大家在接連不斷的運動中，爲了生存，學會放弃原則，隨波逐流。殘酷的政治運動，不僅使得社會逐漸喪失了道德準則，人們是非不分、黑白顛倒，更還扭曲、扼殺了不少有才華有思想的人。如此漿糊廠，如此社會，正如丁一説的："不來真格的，會亡國！"

　　丁一頂住巨大的壓力，一路走來，始終保持不變的信念，堅持自己解除龔鼎合約的正確決定。畢竟時代翻開了新的一頁，有了中央新的政策，丁一没有再次被打倒。頑强的丁一終於把廠子整頓好了，不久玫瑰香漿糊被評爲"信得過"産品，廠子還被評爲各級標兵。丁一得到了工人們的肯定、贊賞和佩服。

　　作者用諷刺的手法，對社會的不良現象進行了抨擊，並表達了希望有丁一這樣始終如一，堅持原則的改革者的願望，期待共産黨員像丁一那樣，不是"漿子"，而是"鋼"。

三 《説客盈門》 中的難點

　　不少學生覺得小説中的"大舅子"很難理解和分析。因爲他在"四十五分鐘"滔滔不絶的長篇大論中，有很多深奥的政治理論術語。這兒先就一些專有名詞作一下解釋：

黨校（曾叫做馬列學院）。這是共產黨領導下的中國特有的學校。學生都是黨員或已經是黨員干部，被推薦或選拔進入黨校學習，畢業後就被委任或升任爲各級干部。地區的這類學校爲初級黨校，省市的爲中級黨校，中央的爲高級黨校。

資本主義 capitalism

社會主義 socialism

共產主義 communism

空想社會主義 utopian socialism

共產黨人認爲人類最理想的社會制度是共產主義。共產主義分成兩個階段，初級階段是社會主義，高級階段才是共產主義。到了這個階段，生產力高度發展，社會產品極大豐富，人們具有高度的思想覺悟，勞動成爲生活的第一需要，消滅了城鄉差別、工農差別、腦力勞動和體力勞動之間的差別，分配原則是"各盡所能，按需分配"。

空想社會主義是現代社會主義思想的來源之一。空想社會主義者突出表現在浪漫主義性質上，以人性論來解釋社會。在19世紀初的西歐非常流行。代表人物有法國的哲學家查爾斯·傅立葉、英國的大企業家羅伯特·歐文等。

四 思考題

1 語言分析。王蒙是一個語言大師，每個人物的語言都符合人物自身的身份、地位、思想、性格和經歷等，讓我們可以聞其言見其人。試對下列句子進行分析：

1）"領導人的權力、好惡、印象，是至關重要的，是不能漫不經心的，是可能起決定作用的。"

A 請從文章中引用具體事例，來說明大舅子說出這樣的話是有事實根據的。

B 共產黨的綱領說"共產黨員是人民的公僕"。聯繫大舅子的這句話，反映出他作爲一位"最有水平，最有威望的理論工作者"的什麼問題？同時也反映出當時中國社會的什麼問題？

2）"我們不是小孩子，我們不是迂夫子。"

A "小孩子"、"迂夫子"是什麼意思？ 這兩種人的特點是什麼？

B 大舅子這句話中提到"我們"不是這兩種人是爲了否定什麼？

3）"兄弟，你對於龔鼎的處理是太冒失了，你的腦子裏少了幾根弦。"

A 請站在大舅子的立場，分析他認爲丁一對於龔鼎的處理"冒失"在哪兒？少了什麼"弦"？

B 大舅子對丁一的指責對嗎？爲什麼？

4）"千萬不要鑄成大錯。要有政治家的風度，要收回成命，把龔鼎請回廠裏來……"

A　作爲自己的親戚，大舅子對丁一發出了嚴厲的警告。他擔心什麼？爲什麼他會有這樣的擔心？

B　大舅子認爲丁一怎麼樣才算有"政治家的風度"？

C　龔鼎是個小二流子，大舅子爲什麼在嚴厲地警告訓斥丁一時，會把這麼客氣的一個"請"字用在龔鼎身上？不僅要丁一收回成命，還要把龔鼎"請回廠裏"，由此反映出大舅子的什麼心態？你從中對當時的社會有了什麼樣的了解？

5）"我不明白，怎麼一下子我就老成了這個樣子呢？萬事還沒開頭，怎麼就要結束了呢？好像唱戲，妝還沒上好，怎麼散場的嗩吶就吹起嗚哇來了呢？唉！唉！"

A　這句話如何體現了説者的演員身份的？

B　女演員爲什麼"不明白"她已經老了並且如此感嘆生命的短暫？又爲了什麼而唉嘆不已呢？

6）"半生的跌滾爬蹭，半生的酸甜苦辣，還不高抬貴手？！"

A　女演員的生活中有過怎麼樣的"跌滾爬蹭"和"酸甜苦辣"？

B　她運用反問句式强烈地勸説丁一必須"高抬貴手"。這"高抬貴手"的真正意思是什麼？"半生的跌滾爬蹭，半生的酸甜苦辣"與"還不高抬貴手"之間有什麼因果關係？

2　人物分析。在衆多説客中，"小蕭"是作者着墨最多的一個。如何更深刻地來理解這個人物呢？試思考以下問題：

1）小蕭"本是北大哲學係的學生"，説明他什麼？"上學期間就入了右册"又説明他什麼？

2）爲什麼曾是北大哲學係的學生會得出"伸臉處世法"的？你對他的人生哲學："人家打你的左臉你便伸過去右臉，右臉不挨打就決不還手"是怎麼看的？

3）他知道"姓龔的那個小子"，"真他媽的不是玩藝兒"，但還是爲他説話求情，爲什麼？

4）"幾十年的教育，別的没學會，還没學會轉彎子嗎？"幾十年來小蕭受到了什麼"教育"？爲什麼這些教育會讓他學會"轉彎子"？

5）原本應該有個光明前程的名校大學生小蕭，現在是一個圓滑世故、庸俗低級、没有原則、隨波逐流的"採購員"。怎麼會的呢？你對他抱有什麼看法呢？

專題指導七

魯迅與《故鄉》

一 寫作背景

魯迅出生於書香門第，祖父周福清曾是清朝的貢士，在翰林院工作。所以魯迅在12歲前，是個生活富裕、無憂無慮的周家少爺。百草園、三味書屋、社戲，還有少年朋友閏土，對魯迅來説，故鄉是美好的，是他兒時的樂土。

但是12歲以後，由於祖父的"科場舞弊案"（1893年，周氏家族有親人參加鄉試，聽説主考官是周福清的同榜進士，就湊錢懇求他去賄賂考官，事發驚動光緒皇帝，被判"斬監候"），家庭發生巨大變遷，生活落入困頓之中。爲了生活和爲父親治病，他經常出入當鋪，並遭人奚落和欺詐。小小少年，就飽嘗了世態炎涼。

1919年，正值軍閥混戰時期。不同軍閥在其占領某地時期重複收税，預收未來的税，操縱實物與貨幣算率，增加苛捐雜税、戰時捐税，並强制糧食購征。連年戰亂，農業生産力和糧食産量下降，城鄉之間的貿易被中斷。而知識分子在"五四"後也出現了迷茫和困惑，憂國憂民却看不到出路。那年12月魯迅回故鄉賣祖屋遷家北上。

這次回鄉對魯迅觸動很大，通過對生活原型進行的取捨和提煉，到1921年1月，魯迅創作了《故鄉》。

二 《故鄉》簡析

在一個嚴寒的冬日，"我"在一種悲涼的心境下，回到了滿目凄涼的故鄉。"故鄉全不如此"，"故鄉好得多了"，但故鄉"仿佛也就如此"，"故鄉本也如此"，"我"惆悵迷惘了。

那麽故鄉的人呢？"我"兒時的朋友——智慧而勇敢的少年閏土——項帶銀圈，手捏鋼叉，是那樣虎虎有生氣！"我"心中的"小英雄"如今是如此瑟索而憔悴。閏土，是個活潑、善談、"心裏有無窮無盡的稀奇的事，都是我往常的朋友所不知道的"的博學的伙伴，可而今的閏土已不是昔日的閏土了，他不光外形變了，在"多子，饑荒，苛税，兵，匪，官，紳"的壓榨下，已變成了"木偶人"。他把擺脱苦難命運的希望寄托在木制的偶像上，封建禮教對閏土的精神虐殺使他懂得了一套"規矩"，按照這套"規矩"的格局，"他的態度終於恭敬起來了，分明的叫道：'老爺！……'"這恭敬就意味着疏遠了。他們之間"已經隔了一層可悲的厚障壁了"。

鄰居楊二嫂年輕時豆腐店的買賣非常好。當年"擦着白粉""終日坐着"的"豆腐西施"現在變得潑辣尖刻、明搶暗奪，還爲貪點便宜而造謠誹謗他人，"順便將我母親的一副手套塞在褲腰裏"，"拿了那狗氣殺"細脚伶仃地飛逃回家。農村的經濟一年不如一年，水生脖子上沒有了閏土當年的銀圈，魯迅母親賣了小半木器，"只是錢收不起來"，所以豆腐店的生意大不如前也是可想而知的。"豆腐西施"的小偷小摸也可算是"辛苦恣睢而生活"的又一表現形態了。

因爲窮，衆多來客"有送行的，有拿東西的，有送行兼拿東西的"，到魯迅他們上船時，"所有破舊大小粗細東西，已經一掃而空了。"

這一切，使"我"離別"二十年來時時記得的故鄉"時，"却並不感到怎樣的留戀了"。唯一可以感到安慰的是，"宏兒不是正在想念水生麼"，"後輩還是一氣"。他們"在一氣"應該是爲了"新的生活，爲我們所未經生活過的"。"我"與閏土之間的歷史悲劇不能重演，"我"感到要建立這種"新的生活"，雖然"願望茫遠"，但是希望在前："希望是本無所謂有，無所謂無的。這正如地上的路；其實地上本沒有路，走的人多了，也便成了路。"希望的本身就是無畏的探索者、前行者踩踏出來的。

本文以"我"回故鄉——在故鄉——離故鄉的活動爲綫索，根據"我"的所見所聞所憶所感，着重描寫了"兩個"閏土和"兩個"楊二嫂，從而反映了辛亥革命前後農村破產，農民生活困苦的現實。同時深刻指出了由於受封建社會傳統觀念的影響，勞苦大衆所受的精神上的束縛，人與人之間的冷漠隔閡，抒發了作者對現實的强烈不滿，以及對新生活的渴望。

三 思考題

1 "我"爲什麼在這麼一個寒冬，回到別了二十多年的故鄉？見到的是一個怎麼樣的故鄉？

2 "我"爲什麼會"沒有言辭"説出心中故鄉的"美麗"和"佳處"呢？

3 "我"記憶中的閏土是怎麼樣一個人？"我"與閏土曾是怎麼樣的關係？

4 出現在"我"眼前的閏土是怎麼樣一個人？他與"我"之間的關係有怎樣的變化？試分析出現這變化的根源。

5 楊二嫂的現在與過去有什麼不同？ 她給你留下怎麼樣的印象？

6 爲什麼當"老屋離我愈遠了；故鄉的山水也都漸漸遠離了我"的時

候，"我"對"二十年來時時記得的故鄉"，"却並不感到怎樣的留戀"？

7 閏土把希望寄托在哪兒？"我"的希望呢？爲什麼"我想到希望，忽然害怕起來了"？

8 "我"願意宏兒和水生有一個"爲我們所未經的生活過的"新生活，那麼"我們"所經的是怎麼樣的生活呢？"我"希望下一輩的新生活又應該是怎麼樣的呢？

9 爲什麼小說結尾再次提到"眼前展開一片海邊碧绿的沙地來，上面深藍的天空中挂着一輪金黃的圓月"這幅畫面？你是怎麼理解"其實地上本没有路，走的人多了，也便成了路"這句話的？

10 魯迅認爲自己是以"病態社會的人物"爲題材，目的不僅是要揭示麻木的"國民靈魂"，而且還要揭示社會的病根。魯迅對他筆下的國民靈魂形象往往採取"哀其不幸，怒其不争"的態度。聯繫《故鄉》，你認爲閏土和楊二嫂是不是都算"病態社會的人物"？作者在字裏行間對他們流露出怎麼樣的態度？社會的病根又是什麼？

專題指導∧∧

巴金與《春》

一 作者簡介 （可參考第三單元短文三《心靈之燈》）

巴金出生於世代爲官的封建大家庭，20歲離開成都到上海，後就學於東南大學附中。1927旅居法國時，發表他第一部長篇小説《滅亡》。1931年發表了《激流三部曲》之一的《家》，該書在社會上引起巨大反響，被譯成20多種文字。

1950年後，巴金先后擔任中國作家協會副主席、主席，《收獲》、《上海文學》主編等諸多職務。文革中受到批判。從1978年起的8年間，巴金創作了五卷本散文《隨想錄》。

1998年巴金當選第九屆全國政協副主席。2003年被國務院授予"人民作家"榮譽稱號。他的《激流三部曲》、《愛情三部曲》、《霧》、《寒夜》等文學作品，是中國文學的豐碑。

二 《春》的背景資料

《春》是《激流三部曲》中的第二部，故事是從1922年春到1923年的春天。"五四"新文化運動對整個社會生活產生了巨大影響，民主、科學、自由、平等的觀念激勵影響了一代年輕人，但是，年老的守舊的一代却仍然死守着幾千年來的孔孟之道，觀念上的衝突必然出現。

巴金當時的目的是要寫這麼一部小説，爲大哥，爲自己，也爲同時代的年輕人控訴、伸冤。他11歲失去母親，13歲父親去世，在封建大家庭中體驗到各房之間互相傾軋的滋味，又親眼看見家族禮教給年輕一代帶來的苦難。他要把過去吞咽到肚子裏的不平全部寫出來，同時也希望自己的小説能撥開大哥的眼睛，去走一條新路。雖然他大哥沒有看到《家》，他自殺了，但巴金的《家》、《春》、《秋》却影響了整整一代年輕人，勇敢地逃離封建家庭的束縛去爭取自由的婚姻和嶄新的生活。

三 《春》的内容概要

《春》的故事圍繞着淑英的婚事展開，淑英的不滿、反抗、勝利是《春》的基本情節。同時，故事也寫到了蕙，她對父親的包辦婚姻也有不滿，但她屈服、順從，最後走向死亡。淑英的故事是主綫，蕙的故事是副綫，兩者交替發展，同時形成對比，揭示了對於傳統的封建禮教和專制的家長制，年輕一代只有奮爭、反抗才有生路，妥協、順從只能成爲犧牲品。

在封建家族制度統治之下，不僅像婉兒、喜兒這樣的僕人注定要承受不是禮物就是玩物的遭遇，就是像蕙、覺新、海兒等家族成員也難逃受人主宰的命運。小說還通過對高公館內部荒淫無恥、勾心鬥角的描繪，撕下了體面風光的封建大家庭溫情脈脈的面紗。

同時，高公館裏的故事還向讀者形象地展現了那年代的諸多矛盾衝突：民主自由與專制獨裁、文明科學與愚昧迷信、婚姻自主與包辦婚姻、男女平等與男尊女卑、人人平等與等級森嚴、新文學與八股文、白話文與文言文等。描寫了孔孟之道千百年來形成的社會倫理和社會準則如何剝奪了婦女和年輕人的個性和自由，突現了年輕人遭受的困惑。但在"五四"新思潮影響下，一代年輕人開始覺醒與反抗，他們衝出舊家庭尋找新生活，高公館這個拼命維護封建倫理道德的堡壘被年輕一代動搖了。新的生活激流勢不可擋，充滿生命和歡樂的春天到來了。

三 思考題

1 關於蕙的婚事，淑英問周氏"大媽，既然周外婆同大舅母都不願意，爲什麼不退婚呢？這樣不苦了蕙表姐一輩子？"覺新爲什麼會"驚訝地回過頭來看她"？周氏的話有沒有解答淑英的疑問呢？爲什麼？

2 蕙由父親的上司做媒許配給鄭國光，她並不願意，連她的"外婆同大舅母都不願意，很想退掉這門親事"，最終爲什麼還是出嫁到了鄭家？分析原因並簡述蕙婚後在鄭家的遭遇。她的人生結局讓你看到了什麼？

3 故事開始時，淑英對於自己的婚姻也"覺得除了聽從父親的命令外，沒有別的辦法"，而故事結束時她已經逃離家庭到了上海，在慧的幫助下要"成爲一個有用的人"。請從內因和外因兩方面來分析她的轉變。

4 沈氏爲什麼與丈夫克定吵就拿女兒淑貞出氣？克定又憑什麼能够理直氣壯地在外面尋花問柳，並在守孝期間收喜兒作小老婆，連一家之長克明對他也沒有辦法？作者在此要批判什麼？

5 具體分析身爲孔教會會長的馮樂山，怎麼滿嘴仁義道德，滿腹男盜女娼？作者通過塑造馮樂山這個人物形象向我們揭示了什麼道理？

6 覺民、琴等不但創辦周報社、上街發傳單、出演革命戲，還出版描寫未來社會的小說；而鄭國光專心寫八股《禮不下庶人刑不上大夫論》之類的文章，你是怎麼理解這截然不同的兩類青年人的？他們的不同反映了當時社會的什麼現狀？

7 爲什麼三爸克明不許淑英學英語？爲什麼淑英與姐妹們跟着琴去公園會遭到他怒斥？ 而淑英又爲什麼要學英語？她又爲什麼因去公園被怒斥後，又跟琴去戲院看覺民他們演出？

8 試分析覺民、覺慧、琴、淑英與馮樂山、克定、克安對待丫鬟傭人分別是什麼態度？小説從他們不同的態度中揭示了他們如何不同的思想觀念？爲什麼他們之間會有這樣的不同？

9 鄭國光和他母親以什麼理由拒絕外國大夫給蕙作治療？小説通過這個情節告訴了讀者什麼？

10 覺新是一個自身矛盾而又置身於矛盾兩難之中的一個悲劇人物。他自身有些什麼矛盾？他又置身於什麼兩難的矛盾之中？具體分析覺新這個人物，並談談産生這些矛盾的根本原因。你個人如何評價這個人物？

11《春》這部小説爲什麼一出版就會在當時引起巨大的社會反響？ 而且特別受到青年人的喜愛？

專題指導九

杜國威與《南海十三郎》

一 作者簡介

杜國威六歲已有香港電臺和"麗的呼喚"播音神童之譽。大學畢業後曾在可立中學任教,倡導學校戲劇,成績卓著。89年獲"香港藝術家年獎劇作家獎",92年獲得"亞洲文化協會利希慎留美獎學金",赴紐約深造戲劇一年。93年轉爲全職編劇,94年因《我和春天有個約會》獲得香港電影金像獎最佳編劇。

97年杜國威憑《南海十三郎》獲得臺灣金馬獎最佳改編劇本,同年獲得卡地亞集團頒發的杰出藝術成就獎。杜國威現任春天藝術劇團總監、香港電影編劇家協會會長等職。

二 南海十三郎的原形

南海十三郎真有其人,但是編劇杜國威並不認識他。在收集資料和編寫劇本的過程中,杜國威越來越喜歡南海十三郎,他曾説"每念及他,仍是熱淚盈眶,因爲,一個編輯去寫另一個編輯坎坷的一生,實在需要無比抑制去抽離自己!"

南海十三郎原名江譽鏐,自稱江譽球,別字江楓。1909年出生於廣州南海,在家中排行十三,父親江孔殷是清末最後一科進士,世稱江太史。江太史交游廣闊,家裏常年食客滿堂,飯局不斷。粵菜佳肴"太史蛇羹"即是在江太史親自指導自家私厨烹調而出的。

十三郎自幼天資聰穎,後考入香港大學學習醫學。因追求一位叫亞莉的女子,跟踪她到上海,却逢一二八事變,他不能回港而荒廢了學業。雖未當成醫生,但他能講一口流利的英語,據説也相當有數學天賦。他曾在廣州女子師範學校教數學、英文、國文和歷史。

由於家有親人在海珠戲院常年包座,十三郎時常去那兒及其他劇院聽戲,耳濡目染,喜愛上戲劇。他爲粵劇紅伶薛覺先編寫了《心聲泪影》,一舉成名。他的代表作還有《女兒香》、《燕歸人未還》、《璇宮艷史》等。電影和電視版《南海十三郎》中的《寒江釣雪》即是《心聲泪影》的主題曲。

十三郎在抗戰時是個愛國的熱血青年,曾活躍在粵北軍政界,當過省參議員。後因脾氣古怪難與人合作退出。於是他組織救亡粵劇團,四處慰問抗日軍隊,並拒絶爲僞軍演出。這段生活是他人生的輝煌,對他今後的生活影響深遠。

五十年代初期,他流浪到香港,生活潦倒。在一次採訪中他説"戲劇是了解人生再把人生啓示出一條正確的途徑,現在戲劇界並不能把中國的前途啓示出來，這是一大遺憾！所以，戰後我就不編劇了。"後患了精神病，衣衫襤褸的他，自言自語地浪迹香港街頭，1984年秋在青山精神病醫院去世。

三 《南海十三郎》故事梗概

在香港街頭，眾人圍着聽一個説書人講故事。警察以妨礙交通把説書人抓到警察局。説書人在警察局繼續講着粵劇編劇南海十三郎坎坷的人生故事。

十三郎生於廣東南海，在家中排行十三，父親是江太史公。在一次慈善舞會上，十三郎對上海女子莉莉一見鐘情，並追她到上海。這只是他的一廂情願，莉莉對他沒有好感。十三郎在上海流落街頭，後回到學校却已被除名。

他常去戲院看戲而結識了薛勞五，並爲他量身定做寫劇本，開始用藝名南海十三郎。他的名氣隨着他的劇本廣爲流傳而越來越大。他可以同時寫幾部戲，幾個人同時記譜都來不及。一天，有個叫唐滌生的青年來爲他記譜並拜他爲師。

抗戰爆發後，十三郎到江西寫劇本慰勞戰士。他堅決反對跳大腿舞來瓦解軍心，動手打了同行，却因此受到懲罰。

戰爭結束後，他仍然寫没人看也没人演的抗戰劇本。又因跳火車而變得精神失常，流浪香港，凍死在街頭。

故事講完了，説書人也被保釋出獄。説書人在大家追問他與十三郎的關係時，説只是一個潦倒的編劇在講另一個編劇的故事。

175

四 思考題

1 劇情開始，十三郎亮相，就是用英文報案説是鞋被人偷了。警察聽到這樣漂亮的英文根本無法與眼前這個蓬頭垢面的流浪漢聯繫起來，警察認定他是瘋子。十三郎説："我的一雙鞋被人都偷走了，左脚的鞋被英國人偷走了，右脚的鞋被日本人偷走了，中國人的鞋都被偷走了，無路可走了，没有了鞋子，中國人走投無路。"這是瘋子的話嗎？爲什麼？

2 從哪些地方可以看出十三郎從小就有叛逆精神？試舉例説明。

3 在香港大學學生會的慈善舞會上，他怎麼與其他同學格格不入？從而可以初步看出他的什麼思想性格？

4 十三郎是怎麼會走上編劇道路的？他在戲劇界有過怎樣的輝煌？

5 唐滌生是誰？爲什麼十三郎會收他做徒弟的？後來他在戲劇界取得怎樣的成就？

6 爲什麼當十三郎事業飛黃騰達時，他放弃去香港而選擇爲抗日戰士演出？在勞軍中又爲什麼與任惜花大打出手？從中反映出十三郎怎樣的思想性格？

7 他與侄女梅仙以前的關係如何？爲什麼後來十三郎會與她斷絶叔侄關係？這與十三郎的藝術理念有什麼關係？

8 抗戰後十三郎的生活貧困，但是爲什麼他拒絶再編劇？你認爲他傻不傻？

9 談談十三郎的愛情故事。你認爲他跳火車的瘋狂舉動與在火車站遇見莉莉有關係嗎？你對十三郎的愛情持什麼觀點？

10 薛覺先在香港街頭遇見渾身臭烘烘的十三郎，要他去洗澡，十三郎認爲自己很干净，不用洗，并説"做人最要緊是洗過心，只要心干净就可以啦"。你認爲十三郎干净嗎？你同意十三郎關於"干净"的説法嗎？爲什麼？

11 你知道十三郎的父親與他的愛徒唐滌生是如何死的嗎？他們的死給十三郎帶來怎樣的影響？

12 "事到如今出世即入世，生即死，死即生"，十三郎瘋瘋癲癲地反復吟誦着這麼一句話告別人世。請分析他爲什麼在臨死前反復吟誦這句話？

13 當警察們把十三郎的尸體搬上車時，地上遺落了十三郎的那些報紙和包袱，還有一卷畫軸。督察拾起，慢慢卷開那發霉的畫卷——雪山白鳳凰?!督察不由地念出聲來，《寒江釣雪》的樂聲起，全劇結束。你認爲這個結尾有什麼含意？

14 全劇結束，觀衆不由要問：十三郎真是瘋子嗎？你認爲十三郎是不是瘋子？請説明理由。

原著作者瓊瑤與《寒烟翠》

一 作者簡介

瓊瑤原名陳喆，湖南衡陽人。1938年出生於四川成都的一個知識分子家庭。47年全家遷居上海。九歲時在上海《大公報》發表她的第一篇小説《可憐的小青》。49年舉家遷往臺北。16歲發表小説《雲影》。她高中畢業未考上大學，于是走上了文學創作的路。1963年，在《皇冠》雜志刊出小説《窗外》，不久出單行本。《窗外》確定了她在愛情小説領域的重要地位。後來她又陸續創作出《幾度夕陽紅》、《烟雨蒙蒙》等40多部中、短篇小説。1965年起，她的作品被接二連三地搬上熒幕，《寒烟翠》就是其中之一。

《寒烟翠》書名來自於宋代著名文學家範仲淹的一首名詞《蘇幕遮》，瓊瑤創作的《寒烟翠》正如詩，韵味十足。

瓊瑤一次外出旅游"一個美麗而原始的山地女孩，給了我閃電般的靈感，我幾乎看到這山地女孩穿梭於樹林之間，帶着她野性的美，在曠野裏游蕩。於是，農場、竹林、一個家庭、曠野、湖水、山地女孩和一個闖入者——陳咏薇，就連瑣成了我的《寒烟翠》。"

電視《寒烟翠》就是根據瓊瑤的同名小説改編的。

二 故事簡介

《寒烟翠》講的是一個叫咏薇的女孩，因母親要和父親離婚，不想讓她看到他們在臺北的吵鬧，而被送到了好朋友的青青農場居住。她新奇地看着農場的羊群、飛鴿、綠樹、綠水、水上的綠烟霧，還有那些饒有趣味的人，這個嶄新的環境讓她開始忘却父母之間的矛盾帶給自己的煩惱。

章伯伯是個豪爽的山東漢子，什麼都是直來直去，實話實説。他有着封建家長制的思想，對孩子不理解却又什麼都要管，動不動就生氣。章伯母與丈夫正好相反，是個温順體貼、心靈手巧的妻子，思想開明、善解人意的母親。

章家的大兒子凌霄原來是學習文學的，但是爲了父母的農場，回到了鄉村，一心要用科學方法來管理土地。爲人誠懇、做事踏實的凌霄吸引了咏薇，可凌霄愛上的是山地姑娘綠綠。他父親一直對山地人有成見，認爲"山地人沒有一個好東西"，同時山地人也不與平地人通婚，所以他一直對父親隱瞞着自己的戀情。野性十足的戀人綠綠並不理解凌霄的"愛情大道理"，凌霄爲此很苦惱。

綠綠與畫家有了孕，而不負責任的畫家逃走了。凌霄在這時却果斷地站出來承認綠綠肚子裏的孩子是自己的。這無私的愛終於感動了綠綠，有情人成眷屬。

章家在臺南念書的小兒子凌風，是個油腔滑調、調皮搗蛋的現代青年。心眼兒不壞，有點小聰明，自以爲了不起，他對咏薇倒是一見鐘情，可咏薇開始並不喜歡他，兩人一見面就鬥嘴。咏薇聰明善良，她對下人、山地人一視同仁，沒有偏見，對於凌風把玩笑建立在別人的痛苦上感到特別憤怒。但凌風這次對咏薇的愛是真的，優美的口琴聲、動人的苦情花故事、拉着她的手滿山遍野地跑。兩人吵過、鬧過、吻過、打過，經歷了幾番風雨幾番情，最終定下了婚約。

兩人還相約畢業後回家鄉，要爲改善山地人的生活而努力。

但是愛情的伊甸園中也有誘惑人的蛇，畫家余亞南到處對天真年輕的姑娘說"你是我的靈感，我的珍妮"，特別是章家小女兒凌雲腼腆可愛，畫家的虛情假意騙取了凌雲純真的愛。這提醒人們得警覺，愛可能是虛假的，而且也不是所有的愛都會有收獲。"不得已住這個地方，又不願離開"的韋校長就說過："河裏魚雖然多，也只有你們年輕人才有收獲。"他還在等待他的愛情，或者說他還在守望着沒有希望的愛情。

幸運的是，咏薇的父母終於在章伯母的勸說下和好了。世界還是美好的，愛是美好的。

三 思考題

1 咏薇因父母鬧離婚心情苦悶，章伯母勸慰她說"很多事情不用去理解，只要去接受，許多事情是毫無道理，而你又無法逃避。"你認爲這番話有沒有道理？爲什麼？從這番話聯繫她的實際生活，可以看出她是一個怎麼樣的人？

2 章伯伯是一個怎麼樣的人？請有觀點、有材料地進行分析，並談談你對他的看法。

3 章伯伯曾罵"山地人沒有一個好東西！"你覺得呢？請通過綠綠和綠綠爸爸的具體事例來加以說明。

4 凌霄曾說：
1) "我在征服這些泥土。不過，除了征服它之外，我也無法征服別的。"
2) "沒有人能够了解別人的，有時候連我自己都不了解自己。"
請分析這兩句話的背後隱含着什麼意思？他爲什麼會發出這樣的感嘆？

5 綠綠告訴咏薇："章家的人都喜歡你"。你知道爲什麼章家的人都喜歡咏薇嗎？請具體分析咏薇這個人物。

6 請簡述"苦情花"的故事。以這個故事爲背景的歌曲以及範仲淹德《蘇幕遮》詞在電視片中起什麼作用？

7 咏薇起初爲什麼對凌風反感，後來又怎麼會愛上他的？談談你對凌風這個人物的看法。

8 在電視劇中多次出現"孤標傲世偕誰隱，一樣花開爲底池"與"殘燈明滅枕頭欹，諳盡孤眠滋味"這兩句詩，你知道它們的意思嗎？聯繫這兩句詩，談談韋校長爲什麼"他不得已住這個地方，又不願離開"？

9 余亞南是誰？請具體分析這個人物，並談談你對他的看法。

第一單元 短文一

一 牛郎、維護、菜湯、外國、城堡、電視、副手、比喻、香蕉

二 暫時——永遠　　　　　外——內　　　　　易——難
　　愉快——苦惱　　　　　出——進　　　　　矮——高

三 1 雖然……但……　　2 儘管……卻……　　3 不僅……連……

四 國際社會——international society　全球文化——global culture
　　西方世界——western world　　　維持傳統——maintain traditions
　　定居海外——settle down overseas　感到尷尬——feel embarrassed

五 1 人們把海外華人的第二代稱作"香蕉人"。
　　2 人們把喜愛中國文化的西方人稱作"雞蛋人"。
　　3 西方人把他們視作"永遠的外國人"。

六 "香蕉人"的意思是：C
　　小田婚後和丈夫談不到一起，也吃不到一塊的意思是：D
　　BBC 在文中的意思：D

七 1 巴黎的小馬提到：在家，父母努力維持中國的傳統習俗；在外，是完全不同的西方文化社會，是爲了説明他感覺自己生活在兩個世界之間。
　　2 英國的麗麗感到尷尬，是因爲同學朋友向她請教衣服上的漢字，她是中國人，卻不認識漢字。
　　3 "香蕉人"指的是海外華人的第二代子女。他們苦惱與無奈的原因是他們被西方人視作"永遠的外國人"。

第一單元 短文二

一　改進　動腦　教育　善於　邁步　教授　全盤　儘管

二　採訪——interview　　代表——representative　　自主—— independence
　　文化——culture　　　嘗試——to attempt　　　批評—— to criticize

三　改進——改善　　全部——全盤　　驚奇——驚訝
　　依然——仍然　　可能——也許　　增強——加強
　　思索——動腦　　獨立——自主　　期望——希望
　　革新——創新

四　westernised ——西化　　　　modernisation——現代化
　　urbanisation——城市化　　　greening——綠化
　　industrialisation——工業化　　internationalisation——國際化

五　1 很多時間被學生花在課本上。
　　2 中國文化和西方文化可以被他們結合起來。

六　略

七　1 文字上沒有　　2、4、5是　　　3、6非

八　1 把時間都放在書本上；只是中國留學生整天在一起；不敢批評他人的作品。
　　2-1) 不少學生在考試前總是問老師，看什麼書對考試有幫助。
　　2-2) 在中國他們背書也許可以考出好成績，但在澳洲是行不通的。
　　3 因爲有時候批評他人作品是善於動腦、自主學習的表現，甚至是邁出有所創新的第一步。

第一單元短文三

一　祥瑞、吵鬧、華裔、玩具、杜鵑、碩士

二　好看(hǎokàn)　　　　成爲(chéngwéi)　　　　學會(xuéhuì)
　　看護(kānhù)　　　　　爲了(wèile)　　　　　　會計(kuàijì)
　　大夫(dàifu)　　　　　長大(zhǎngdà)　　　　　説話(shuōhuà)
　　大會(dàhuì)　　　　　長城(chángchéng)　　　　游説(yóushuì)

三　officeholder——官員　　　　　graduate——畢業生
　　postgraduate——研究生　　　　leader ——領導
　　master's degree——碩士　　　　student abroad——留學生
　　president—— 總統　　　　　　parents ——家長

四　承擔責任——take responsibility
　　返回軍校——return back to military academy
　　接受祝賀——receive congratulations
　　毫無怨言——take the good with the bad

五　1 Because of her excellent grades and outstanding leadership skills, she was able to attain the Truman Scholarship.

2 Whilst other girls were boisterously demanding Barbie dolls, the toys Liu Jie wanted were weapons.

3 Here, not only do you need to take responsibility for yourself, but also for others.

六　姓名：劉潔　　　　　　　　性別：女
　　年齡：21　　　　　　　　　國籍：美國
　　祖籍：中國臺灣　　　　　　學歷：大學
　　出生地：美國　　　　　　　家庭居住地：弗吉尼亞州
　　現任職務：軍事情報官員　　家庭成員：父親、母親、兩個哥哥
　　性格：內向　　　　　　　　長處：積極向上、成績優異、領導才能出衆

七　A、B、E

八　1 父親叫劉偉超，母親叫舒瑞可。他們去美國留學。
　　2 因爲她是全年級第一名的畢業生。
　　3 劉潔獲得的杜魯門獎學金是爲一年的研究生課程做花費的。
　　4 劉潔去英國讀碩士，她將來想在美國西點軍校做老師。

第二單元 短文一

一　水源/水井　　居民/居住　　内涵/内容　　雅静/寧静
　　家長/長幼　　狹窄/狹隘　　藤葉/綠葉　　民俗/民居

二　聚合——聚集　　　　　大約——大致　　　　　寬闊——寬敞
　　舒適——舒服　　　　　著名——聞名　　　　　幽静——雅静
　　涼爽——涼快　　　　　期望——期盼　　　　　裝飾——點綴

三　1 精心、點綴　　2 私人　　3 綠蔭　　4 靈魂　　5 考證、起源

四　兩（輛）馬車　　　　四（匹）白馬　　　　一（條）馬路
　　兩（顆）葡萄　　　　四（個）葡萄架　　　幾（瓶）葡萄酒
　　兩（塊）綠玉　　　　四（棵）綠樹　　　　一（片）綠蔭
　　兩（杯）涼水　　　　四（碗）涼面　　　　幾（分）涼快

五　略

六　typicality——典型性　　representativeness——代表性
　　individuality——個性　　commonness——共性
　　artistry——藝術性　　　humanity——人性

七　1E　　2C　　3D　　4F

八　1 胡同二字起源於蒙古語，意思是"水井"。胡同的本意應爲居民聚集之
　　地。南北走向的一般爲街，相對較寬，因過去以走馬車爲主，所以也叫
　　馬路。
　　2 因爲院内東、南、西、北四面都有房子，所以叫"四合院"。
　　3 北京四合院所以舉世聞名，在於它的歷史悠久；它的結構在中國傳統住
　　宅建築中有典型性和代表性；有着傳統文化的内涵。
　　4 胡同和四合院是北京城市建築的靈魂、體現着這個國際都市的個性、傳
　　承着悠久的民俗文化，所以國内外人們都期盼這民居形式能代代不息。

第二單元 短文二

一　　噪音　　　　歷史　　　　破壞　　　　每天
　　　急躁　　　　厲害　　　　環境　　　　母親
　　　各地　　　　橋梁　　　　盲目　　　　既然
　　　名人　　　　華僑　　　　教育　　　　即使

二　　to mushroom like bamboo shoots after rain——雨後春筍
　　　boulevard——景觀大道
　　　to aim too high but care nothing about the fundamentals ——貪大求全
　　　skyscraper——高樓大廈

三　　縮小——擴大　　　便宜——昂貴　　　共性——個性　　　落後——發達
　　　增加——減少　　　分散——聚集　　　出現——消失　　　人工——自然
　　　緩慢——飛速　　　放心——擔心　　　正路——歧途　　　破壞——建設

四　　污染 pollution　　　消失 disappear　　　昂貴 costliness　　　交通 traffic
　　　工業 industry　　　農業 agriculture　　　商業 commerce　　　學業 school wor

五　　1A　　2C　　3D　　4B

六　　1 明喻　　　2 排比　　　3 借喻

七　　1 (對) 原因：噪音燈光空氣的綜合污染。

　　　2 (錯) 原因：一些規劃者貪大求全，盲目學習外國，把城市發展引入歧途。

　　　3 (對) 原因：美國在城市化進程中已經出現過這樣的問題。

　　　4 (對) 原因：所有的城市看上去都差不多。

第二單元短文三

一 驚恐、 糯米、 飼養、 牲畜、 挖掘、 防禦、 防震、 防潮、評審、
宏大、 神秘、 光輝、 饑荒、 八卦、 獨特

二 satellite: 衛星　　　discovery : 發現　　　famine: 饑荒　　　castle: 城堡
unique: 獨特　　　terrified: 驚恐　　　strong: 堅固　　　secure: 安全
mystery: 神秘　　　long in time : 悠久　　chaos caused by war: 戰亂
review: 評審　　　heritage: 遺產　　　well: 水井　　　food: 糧食

三 世紀（百年）　　祖宗（祖先）　　本族（本家族）
唯有（只有）　　抵禦（抵抗）　　華夏（中國）

四 方形：square　　五角形：pentagon　　長方形：rectangle
圓形： circle　　三角形：triangle
八卦形： Ba Gua The Ba Gua are the eight trigrams described in the
I Ching; the combinations of whole and broken lines represent the ever-
fluctuating elemental forces of the universe.

五 1C 2B

六 1 美國人以爲這是中國重要的武器發射基地。
2 因爲戰亂、饑荒，客家人從中原遷移到閩、贛、粵地區。
3 客家土樓除了居住外，還具有安全防衛、防風防震、防火防潮功能。
4 華夏祖先有天圓地方的觀念。古人敬天，也就崇拜"圓"，認爲"圓"有無
窮的神力。在炎黃子孫的意識裏，"圓"，有和合團圓的意思，所以很多客
家人以圓形來祈求萬事和合，子孫團圓。
5 因爲客家人現在還居住生活在土樓中，客家人爲人類留下了活的歷史。

第三單元 短文一

一　旗幟、材料、悼念、靈柩、覆蓋、印象、渡海、拯救、抨擊、砍頭、深刻、長眠、花籃、茁壯、版畫

二　novel: 小說　prose: 散文　poetry: 詩歌　essay: 文章　literature: 文學 culture: 文化

三　1 庸醫把他父親給誤診了。
　　2 魯迅把中國國民性刻畫得入木三分。

四　　1B　2C　3D

五　姓名：周樟壽　　　性別：男　　曾用名：周樹人　　筆名：魯迅
　　出生日期：1881年9月25日　　　出生地點：浙江紹興
　　逝世日期：1936年10月19日　　　死亡原因：肺結核
　　安葬地點：上海虹口公園
　　求學及工作經歷：12歲到17歲在紹興的三味書屋學習；1898年去南京江南水師學堂求學；1904年-1906在日本仙臺醫學專科學校留學；1909年到北京女師大、北京大學、廈門大學等高校任教；1927年10月移居上海
　　主要成就：創作了大量的文學作品，文筆犀利、思想深刻；是中國版畫發起人；是中國新文學的奠基人；五四新文化運動的旗手和靈魂

六　　1D　　2C

第三單元 短文二

一　一套家具　　一部小説　　一册古書　　一種感情
　　一套術語　　一部電影　　一册竹簡　　一種文字

二　sentiment: 感情　　feeling of love: 愛情　　friendship: 友情
　　pure love: 純情　　love between blood relations: 親情
　　passion without reason: 痴情

三　漢字：Chinese character　　國畫：Chinese painting　　京劇：Beijing opera
　　稱謂：title　　　　　　　　禮儀：etiquette　　　　　禁忌：taboo
　　億：hundred million　　　　萬：ten thousand　　　　千：thousand

四　釋：放下、渝：改變、生：活的、手足：兄弟

五　　1C　　2D　　3B

六　1 因爲它在語言上有古典漢語的特色，在打鬥上有一套專門的術語，更重
　　要的是武俠小説中有着許多稱謂、禮儀、禁忌等民俗的東西，帶着濃郁的
　　中國色彩。
　　2 他原名查良鏞，後來他將鏞字拆開爲筆名。
　　3 "封筆"就是不再寫了，文中意思是金庸1972年以後不再寫小説了。
　　4 小説裏的不少人物是依靠頑强的毅力、寬廣的胸懷、正直的品質，在逆
　　境中奮鬥，最後得到成功。所以説金庸的武俠小説常顯示出人性的尊嚴。
　　5 《書劍恩仇録》、《鹿鼎記》。

七　秦(qín)、漢(hàn)、三國(sānguó)、晋(jìn)、南北朝(nánběicháo)、隋(suí)、
　　唐(táng)、五代(wǔdài)、宋(sòng)、元(yuán)、明(míng)、清(qīng)

第三單元 短文三

一　　文壇/影壇　　放弃/遺弃　　磨滅/磨面　　歧途/前途
　　　激流/激動　　索取/索引　　隨感/隨時　　懺悔/後悔

二　　一團烈火/一團毛綫　　　一盞電燈/一盞油燈
　　　一篇小説/一篇散文　　　一道亮光/一道問題

三　　悲觀—樂觀　　　　放弃—追求　　　　索取—奉獻　　　　痛苦—幸福
　　　戰爭—和平　　　　懷疑—相信　　　　熄滅—燃燒　　　　前期—後期

四　　1、3 史無前例　　2 難以磨滅　　4、5 千秋萬代　　6 憂國憂民

五　1　文化：culture　　　　樂觀：optimism　　　和平：peace
　　　　文明：civilization　　悲觀：pessimism　　　公平：fairness
　　　　文學：literature　　　主觀：subjective　　　平等：equality

　　2　任何時候：anytime　　　　有些小説：some novels
　　　　所有地方：everywhere　　幾篇散文：several pieces of prose
　　　　整個國家：the whole country　　一些詩歌：some poetry
　　　　部分地區：part of an area　　全部作品：all works

　　3　1) So long as I am determined to go forward, it will always point out the way for me.

　　　　2) At the time when he wanted a pen name，he was in the processes of translating

　　　　Russian books.

六　　1/3/5 是　　　2/6 非　　　　4 没

七　　1 巴金運用了暗喻和擬人的修辭手法。
　　　2 巴金的文學創作始終保持着顯示個性、直面人生、憂國憂民的"五
　　　四"新文化傳統。
　　　3 巴金自己在"文革"中受了很多磨難，但"文革"後卻以一個懺悔者的
　　　角度，"掏出自己燃燒的心"，以真話見證歷史，喚起全社會對"文革"的
　　　反思。

第四單元 短文一

一　銀月、碧空、藍天、橘紅、金秋、黑夜、

二　天空：sky　　聯想：associate ideas　　鼓舞：inspire　　火箭：rocket
　　太空：space　夢想：dream　　　　　　跳舞：dance　　火焰：flames
　　飛船：spaceship　登月：moonlanding　漂亮：pretty　　遥望：look into distance
　　飛機：aeroplane　登山：mountain climbing　明亮：bright　　願望：hope

三　1C　　2A　　3D

四　略

五　1 是去看看到底有没有神話中説的"嫦娥"、"吳剛在伐桂"或者"搗藥的玉兔"，
　　2 因爲2005年10月12日9時，神州六號載着費俊龍和聶海勝飛往太空；不
　　遠的將來，更多的飛船將載人去太空，乃至登上月亮。

六　1非　2是　3是　4非　5文中没有

七　1 一會兒白天，一會兒黑夜。晝夜交替之間，地球邊緣仿佛鑲了一道漂亮
　　的金邊，景色迷人。
　　2 飛船飛行到第七圈時，楊利偉在太空展示了中國國旗和聯合國旗，表達
　　了中國人民和平利用太空，造福全人類的美好願望。
　　3 "吳剛獻出桂花酒，嫦娥跳起廣袖舞"表示 全球華人聽到神州五號上太空
　　後歡欣鼓舞。
　　4 傳達了中國人在不遠的將來會登上月球的信息。

第四單元 短文二

一　　踱(duó) 慢步走　　　覓(mì) 尋找　　　　徒(tú) 步行
　　　域　地區　　　　　　脊　屋頂　　　　　　罕　很少

二　　1 生態　　2 定爲　　3 悠閑　踱步　　4 優先　　　5 純净　　　6 和諧

三　　1 藏羚羊從動物通道穿過。　　　2 牦牛從鐵路上穿過。
　　　3 黑頸鶴從火車站飛過。　　　　4 野驢從草原上跑過。
　　　5 火車從納木錯湖邊繞過。

四　　1 排比、暗喻、比擬　　2 明喻　　3 暗喻

五　　1B　　2B　　3C

六　　1 因爲青藏高原至今還保持着比較原始的生態、奇異的自然景觀、世界上
　　　獨有的野生動物和植物，所以被定爲“全球生物多樣性保護”最優先地
　　　區；是被世界自然基金會的。
　　　2 爲了在青藏高原上修築鐵路和通車，不影響動植物，也不能影響湖泊、
　　　濕地、凍土等，中國政府在修建青藏鐵路時在環境保護方面花了15.4億人
　　　民幣。
　　　3 藏羚羊有時候遠遠地站着，象是在歡迎着這長龍來到高原；有時候不理
　　　不睬地照樣覓食嬉戲；有時候會悠閑地從鐵路下面穿過。遠處的藏野驢在
　　　奔跑，藏牦牛在踱步，空中黑頸鶴飛過，可見人和自然在青藏高原上和諧
　　　相處。

第四單元 短文三

一　三峽/俠客　哺育/盲目　溝通/結構
　　淹没/掩護　充足/允許　牲畜/蓄水

二　繁榮－－蕭條　美名－－惡名　豐富－－貧乏　利－－弊
　　提高－－降低　失望－－希望　減少－－增加　開始－－結束

三　1 着、得　2 過　3 的、了　4 地、着　5 的、了

四　心腹之患　　serious trouble or danger
　　魚米之鄉　　a land flowing with milk and honey
　　歷歷在目　　remain fresh in one's memory
　　興利除弊　　promote the beneficial and eradicate the harmful

五　hour　　　　　minute　　　　second　　　　o'clock
　　plateau/highland　flatland　　　basin　　　　mountain ridge
　　desert　　　　valley　　　　ocean　　　　sea
　　river　　　　lake　　　　　spring　　　　stream
　　area　　　　　volume　　　　hectare　　　kilometre

191

六　1 非　2 非　3 是　4 是　5 是　6 文中没有

七　1 因爲長江哺育了兩岸人民，造就了繁榮的經濟，還爲我們留下了豐富的
　　文化遺跡。
　　2 因爲洪水直接威脅着江漢平原和洞庭湖區的1500萬人口，150萬公頃的
　　良田。
　　從公元前206年至今，大範圍的洪灾達218次之多，1998年還發生過特大洪
　　水，所以説長江洪水是中華民族的心腹之患。
　　3 三峽發電廠的電能充足、高效、清潔、方便。

第五單元 短文一

一　儒家/糯米　　價值/種植　　鎖匙/瑣碎　　干擾/優秀
　　體現/休息　　淺薄/賬簿　　瀟灑/桂花酒 培養/加倍

二　本:根本　　耐:忍耐　　生:身體
　　恭:有禮　　息:停止　　痴:妄想

三　1B　　2A　　3D　　4C

四　1✓　　2✓　　3X　　4X　　5✓　　6✓　　7X　　8✓

五　1 儒以仁爲本；釋以人爲本；道以自然爲本。
　　2 孔子認爲大同世界應該是"天下爲公"。
　　3 佛教認爲貪、嗔、痴是一切痛苦和罪惡的根源。
　　4 道教思想提倡排除雜念的干擾，求得心靈的寧靜，這樣可以達到養生延年的效果。
　　5 在儒、釋、道的影響下，中華民族成爲了一個温良謙恭、吃苦耐勞、自强不息的民族，有着善良、寬容、奉獻的性格内涵，以及親近自然、崇尚儉樸、瀟灑自如的風骨。

第五單元 短文二

一　1 魚　2 虎　3 蝦　4 兔子　5 蛇　6 鷹　7 馬　8 猪　9 蟾蜍　10 鹿

二　拜年/祭拜　　正直/真正　　權利/權力　　懷孕/孕育
　　勤勞/辛勞　　牲畜/犧牲　　遺址/遺跡　　考證/證明

三　一字千金　　兩小無猜　　三心兩意　　四通八達　　五穀豐登
　　六親不認　　七上八下　　八面威風　　九牛一毛　　十全十美

四　1E　　2A　　3B

五　1 只有在陽光下，萬物才能生長，才有生命。
　　2 全家一邊享受着鮮果、月餅慶祝五穀豐登，一邊祭拜月亮感謝上天風調雨順。

六　1 從遠古起，中國人就喜愛紅色。因爲只有在紅色的太陽的照耀下，萬物才能生長，才有生命，所以中國人崇拜陽光和陽光的顏色。
　　2 "犧牲"是古代爲祭祀宰殺的牲畜；"以人爲犧牲"是把人宰殺了作爲祭祀的物品。在短文中引用這句話是爲了説明古人對北斗的崇拜和敬畏。
　　3 還可以叫月曆、農曆、夏曆。
　　4 中國龍有蛇身、馬頭、蝦眼、鹿角、虎掌、鷹爪、金魚尾；"龍"是古代各個部落聯盟後圖騰融合的結果。
　　5 中秋節有着遠古崇拜月亮的痕跡。經歷了春播夏種秋收的辛勞，在月亮最亮最圓的8月15日，全家一邊享受着鮮果、月餅慶祝五穀豐登，一邊祭拜月亮感謝上天風調雨順。

第五單元 短文三

一 　磁場　宇宙　平衡　八卦　信奉　尋找　煞氣　昏暗
　　潮濕　侵擾　噪音　健康　茁壯　和諧　鏡子　掌握

二 　陰——陽　　　　　乾燥——潮濕　　　　瘦弱——茁壯
　　凶——吉　　　　　困難——容易　　　　缺少——充足
　　趨——避　　　　　明亮——昏暗　　　　迷信——科學

三 　變化性：variability　　　概括性：recapitulation
　　規律性：regularity　　　實用性：practicality
　　相互交流：intercommunion　互相補充：supplement each other
　　相互作用：mutually affecting
　　相生相克：mutual promotion and restraint between the five elements

　　丁字路口：T-Junction　　十字路口：Cross-Junction
　　向陽：sun-facing　　　　向南：south-facing

四 　1B　　2C　　3E　　4A

五 　1C　　2B　　3A　　4F　　5D　　6E　　7H　　8G

六 　1 《易經》是周文王在獄中所作，也叫《周易》。"易"是變易、簡易和不
　　易，換個說法，就是變化性、概括性、規律性。
　　2 人體之氣和天地宇宙之氣相互交流、相互作用，達到互補互助、天地人
　　合一。
　　3 五行是金、木、水、火、土。它們之間的相生相克，平衡着地之能量，
　　與陰陽八卦結合，運用到風水學，體現了天地人合一的觀念。
　　4 一個整天不見陽光昏暗潮濕的房子，人住在裏邊，健康本會受到影響，
　　造成人的陰陽失調。
　　5 對着廁所的厨房有煞氣，因爲廁所的臭氣飄進煮飯做菜的厨房；丁字路
　　口的房子會有煞氣，因爲噪音、廢氣終日衝進門窗來。
　　6 房間院內不同的位置會有不同的天地場氣，有的對金魚和花草是好的，
　　有的是不適合的，於是它們生長的情況就會不同。

第六單元 短文一

一 　立即／既然　　會徽／微笑　　海洋／祥和、　雙臂／肩膀
　　部分／加倍　　和諧／楷書　　擅長／顫抖　　比賽／塞車

二 　1C　　2A　　3B　　4F

三 　1 好手／高手、　2 筆杆子、　3 旱鴨子、　4 馬大哈、　5 我那位、　6 大款

四 　1）2008年北京奧林匹克運動會的口號是"同一個世界，同一個夢想"；
　　　會徽是"中國印"；吉祥物是"福娃"。
　　2）"更快、更高、更強"是奧運會的精神。
　　3）大熊猫是中國國寶，爲世界人民所喜愛。

五 　1 没　2 ✓　3 没　4 X　5 ✓　6 ✓　7 X　8 ✓

六 　1 會徽以紅色作主要顏色、以印章作主體圖案，體現了濃郁的中國文化味
　　兒，洋溢着喜慶與祥和；二是會徽主體部分象"京"字，凸現了29屆奧運
　　的舉辦地——舞動的北京張開雙臂，真誠熱烈地迎接四方友人；三是會徽
　　又似奔跑的"人"，充滿活力與奮發的精神，體現了奧林匹克更快、更
　　高、更強的宗旨。這樣的設計非常聰明。
　　2 貝貝的頭部是魚紋圖案，又是藍色的，很容易聯想到在江海湖泊或游泳
　　池裏的運動健將。
　　3 因爲"迎迎"是藏羚羊，它來自西藏，位於中國的西部，這樣的設計很
　　有地域色彩。
　　4 略

第六單元 短文二

一　　着　　的　　得　　地　　了　　過

二　　朗讀下列的多音字，然後組詞。
　　　和平／和面　　種子／種植　　教授／教書　　盛大／盛飯　　空前／空閑
　　　朝氣／朝南　　會議／會計　　疑難／受難　　西藏／藏書

三　　喝水／口渴　　　　厲害／歷史　　　　辯論／辨別
　　　玄奘／服裝　　　　宇宙／廟宇　　　　支持／特別
　　　各自／名人　　　　失去／有的放矢　　孤身／狐狸

四　　一清二楚　　七拼八湊　　四通八達
　　　一干二净　　四平八穩　　七折八扣

五　　單身——孤身　　僧侶——和尚　　廟——寺
　　　卓越——出色　　求教——請教　　乘——坐
　　　真理——真諦　　群衆——百姓　　窮——貧

　六　　1D　　2D　　3C

第六單元 短文三

一　少年/ 少数　　　需要/要求　　　重复/重要
　　歌曲/弯曲　　　解释/解数　　　传统/自传

二　和谐——矛盾　　　　　虚——实　　　刚——柔
　　减弱——增强　　　　　动——静　　　紧——松
　　浅显—— 深奥　　　　　头——尾　　　连——断

三　江水滔滔　千里迢迢　喜气洋洋　困难重重　丝丝不断　念念不忘

四　1 Tai Chi is one of the treasures of the Chinese nation. Practising Tai chi can strengthen the body and prevent illness, which is why young and old, men and women alike all like practising Tai chi.
　　2 我们可以按照图解与说明，先一个一个动作地学，然后一段一段地连起来做，最后就能掌握整套太极拳了。

五　　1C　　　　　2B　　　　　3D　　　　　4B

六　1 因为打太极拳可以增强体质、防治疾病，所以中国的男女老少都喜欢打太 极拳。
　　2 打太极拳应该注意要做到静、松、灵、活、守。
　　3 "让生命之树常青"在短文中是用来表示希望身体健康永葆年轻的愿望。

第七單元 短文一

一　舞蹈　訪問　閉幕　優美　地板　充滿
　　貧窮　折斷　獨奏　剛強　指揮　普通

二　famous singer: 著名的歌手　　　outstanding dancer: 出眾的舞蹈家
　　excellent performer: 優秀的演奏家　great passion: 熱烈的感情
　　strong will: 堅强的意志　　　　　beautiful dream: 美麗的夢想

三　海內—國內　　　震動—震撼　　　歡樂—歡快　　　講述—訴説
　　期望—希望　　　剛強—頑強　　　表現—展現　　　一般—普通

四　1 次　2 遍　3 趟　4 陣　5 回　6 場

五　1D　2A　3B　4E

六　1 Not only have the arts group performed over one thousand shows in China, but also visited and performed in more than forty other countries.
2 As soon as he hears music, he will pick up the conducting baton and start waving it about.
3 Although my body is as fragile as glass, my heart and will are as strong as steel.

七　1✓　2✓　3X　4没　5✓　6X

第七單元 短文二

一　撿拾／檢查　秘密／蜜蜂　清楚／青菜　洛陽／角落　交通／郊外
　　積極／年級　花園／圓形　結婚／昏暗　磅秤／英鎊　箱子／車廂
　　搬家／一般　博士／搏鬥

二　名門望族：illustrious family　　大開眼界：opened one's eyes
　　無價之寶：a priceless treasure
　　造句：略

三　1 在香港的房子和收藏被姨媽傳給了他。
　　2 趙泰來在妻子的支持下，5萬件價值8億人民幣的藏品都被他捐獻給了中國。

四　1 15歲的他只能去香港投靠大姨媽。
　　2 他幾乎天天出去找包裝材料。
　　3 他一看到賣家具的、搬家的就特別高興。

五　1是　2非　3是　4非　5非　6沒　7非

六　1 他叫趙泰來。因爲他住在高級住宅區一個大莊園裏，卻常在附近走來走去撿破爛，讓人感到很神秘。
　　2 趙泰來在文革時期失去了父母，15歲的他只能從大陸去香港投靠大姨媽。没有結過婚的姨媽把藏在英國一個地窖裏的收藏品都傳給了趙泰來，所以他又去了英國。
　　3 姨媽認爲在衆多晚輩中趙泰來最可靠，所以選他做自己財產的唯一繼承人。而趙泰來又把藏品都捐獻給中國，是爲了讓更多的人能夠在博物館裏欣賞到這些無價之寶。

第七單元 短文三

一　剪紙／煎餅、仿佛／作坊、透過／綉花、扇子／肩膀、季節／李子、
　　磨墨／摩擦

二　1B　　2A　　3D　　4E

三　1 氣息　　　2 名氣　　　3 專程　　　4 珍藏　　　5 修養

四　1 年年有余　2 步步高升　3 福如東海　4 真情流露
　　5 發財　　　6 大吉大利　7 早生貴子　8 送終

五　1 在百工坊没有人不知道葫蘆季的。
　　2 走進葫蘆坊，每個踏進門來的客人無不流連忘返。
　　3 《悄悄話》、《媽媽的吻》、《女人是老虎》没有一件不是他的得意之作。

六　1 季先生一開始創作葫蘆燙畫，就受到大家的關注和好評。
　　2 如果把這個葫蘆加工成天鵝，頭太小，怎麼也不好看。
　　3 The "Money Mouse" is much more renowned than Gourd Ji.
　　4 The gourd works are created both as lucky charms and works of art, resulting in
　　them being loved and treasured by more and more people.

七　1 京城的百工坊裏的中國傳統民間工藝有：玉器雕塑、玻璃制品、葫蘆燙
　　畫、剪紙、京綉等。
　　2 葫蘆季叫季順。他的作品標新立異，用普普通通的葫蘆創作出新穎奇特
　　的造型，作品的名字既符合造型，又有趣味。
　　3 這門藝術不僅需要藝術家有很高超的繪畫技巧，還要了解葫蘆本身的特
　　質，同時在運用烙鐵燙畫的時候，能够掌握好温度、快慢、深淺等。
　　4 因爲"手捻"葫蘆常常握在手心摩擦，讓它吸取人手上的汗液、油脂，逐
　　漸將葫蘆表面變得如石頭，所以在上面的燙畫有雕塑的質感。

第八單元 短文一

一　跑得快/得分/得穿毛衣　　　美麗的花/目的/的確
　　飛快地跑/土地　　　　　　　聽着音樂/衣着/着急

二　接觸、山崗、目睹、粗獷、
　　銷量、肥皂、途徑、調查
　　鮮艷、掏錢、消費、祈禱、
　　朝拜、啤酒、牛仔、統計

三　1G　　2A　　3B　　4H　　5E　　6I　　7C　　8J

四　Christian: 基督徒　Buddhist: 佛教徒　Taoist: 道教信徒　Muslim: 穆斯林

五　得意洋洋 elation　　　熟視無睹 pay no attention to a familiar sight
　　舉足輕重 hold the balance

六　1 According to statistics, nowadays everyone comes into contact with about
　　two hundred advertisements each day.
　　2 The contents of advertisements are delivered to consumers through various
　　newspapers, TV channels, radio channels, slogans and websites.
　　3 Understanding religious culture, traditional customs and consumer
　　psychology is very important.

七　1X　　2✓　　3X　　4✓　　5X

八　1 鞋　2 孔府家酒　3 健力寶飲料　4 小白兔高級兒童牙膏　5 輪胎

第八單元 短文二

一 1由於　　　　2以便　　　　3甚至　　　　4爲了

二 制造、梳妝、外貌、審美、

趨勢、書籍、出版、暢銷、

輿論、氣質、利潤、護膚、

植髮、抽脂、充塞、陷入、

三 commercialisation: 商業化　　trend：趨勢　　　　　dress and make up: 梳妝
to make up: 化妝　　　　　skincare: 護膚　　　　face-lift: 整容
hair implantation: 植髮　　liposuction: 抽脂

四 政要：important politician　　選民：voter　　　　首相：prime minister
政治：politics　　　　　　選舉：to elect　　　大臣：minister
總理：prime minister　　　　總統：president　　市長：mayor
議員：member of parliament　部長：minister　　主席：chairman

五 1D　　2A　　3C　　4E

六 1 "梳妝打扮"、"外貌"在短文中表示的不是這些詞的本義，借用"梳妝
打扮"來比喻對產品的包裝和包裝後的外在形象，使得表達變得生動形
象。"商品"與 "包裝"在第一段中加了引號表示強調。但是"包裝"從第二節
起不再是表示它的本義，根據不同的"包裝"對象，可以有不同的内涵。
2 "眼觀六路耳聽八方"本義是表示消息靈通。在這兒表示一個合格的形象
設計師應該掌握各方面的信息，以準確地預測出市場的審美趨勢，準確
地把握住消費者的心理欲望。
3 有的出版社爲了推出一本暢銷書，會對這本書用假批評真幫忙的手法造
輿論，激發人們的好奇心去購買。
4 意大利總統意大利總統貝盧斯科克通過整容、植髮、抽脂等手法"改頭
換面"，爲了討選民的喜歡。
5 因爲 "包裝"的無所不在，我們實際上已經生活在一個 "形象"的世
界。這個世界使我們陷入一個烏托邦，真實世界就慢慢地離我們遠了。

第八單元 短文三

一　　瀏覽/閱覽室　　　　網絡/聯絡　　　　書籍/國籍　　　　聊天/閑聊
　　　邏輯/編輯　　　　　鵲橋/喜鵲　　　　遵守/遵照　　　　主宰/宰殺

二　　browse: 瀏覽　　　website:網站　　　operate: 操作
　　　e-mail: 電子郵件　　address: 地址　　　logic: 邏輯
　　　long distance: 遠程　extend: 延伸　　　function: 功能
　　　machine-processed: 機制
　　　host computer: 主機　organisation: 機構

三　　at a certain date: 某天/某日　　　　a certain place in China: 中國的某地
　　　a certain lifestyle: 某種風格　　　　to some level: 某種程度
　　　a certain chat room: 某個聊天室　　a certain website: 某個網站

四　　1 無論哪個國家或某一個集團，都無法通過某種技術手段來控制互聯網，
　　　除非不參加互聯網。
　　　2 當我們享受着高科技給生活帶來無窮樂趣的時候，不知不覺間網絡成爲
　　　了我們生活的一部分。
　　　3 究竟是人類主宰網絡，還是網絡主宰人類？

五　　1 （√），原因："網絡作爲傳播信息和人際交往的新工具，正在迅速地
　　　改變着現代人的生活方式。"
　　　2 （X），原因："無論哪個國家或某一個集團，都無法通過某種技術手
　　　段來控制互聯網，除非不參加互聯網。"
　　　3 （√），原因：上網有"遠程教學"網站。
　　　4 （√），原因："網絡延伸了人的感覺器官"。

六　　1 短文中引用"秀才不出門，能知天下事"，是爲了説明今天只要坐在家
　　　裏，一上網，就可以得到巨大的信息量，電子報刊能及時告訴我們國內外
　　　發生的事。
　　　2 "鵲橋會"是征婚尋找異性朋友的網站。
　　　3 "互聯網"泛指由多個計算機網絡相互連接而成的一個網絡，它是在功能
　　　和邏輯上組成的一個大型網絡。它給我們生活帶來"翻天覆地"的變化。

七　　小常識：通過各類考試可依次獲得：秀才、舉人、貢士、進士；進士的前
　　　三名叫：狀元、榜眼、探花。

203

第九單元 短文一

一　　末代／未來　　　反抗／杭州　　　起義／刀叉
　　　原因／困難　　　如火如荼／茶水　　陰天／太陽
　　　瑕不掩瑜／比喻　　婦孺／儒雅　　　粗獷／空曠

二　　如火如荼(rúhuǒrútú)　　　in an imposing array
　　　走投無路(zǒutóuwúlù)　　　to go down a dead alley
　　　足智多謀(zúzhìduōmóu)　　clever and resourceful
　　　粗中有細(cūzhōngyǒuxì)　　there is finesse in sb's roughness
　　　心胸狹隘(xīnxiōngxiáài)　　narrow minded
　　　家喻户曉(jiāyùhùxiǎo)　　　widely known
　　　婦孺皆知(fùrújiēzhī)　　　　known even to women and children

三　　略

四　　1 曹操統一了中國北部。
　　　2 心胸狹隘的周瑜是吳國的將軍。
　　　3 智慧的諸葛亮是蜀國的宰相。
　　　4 粗獷的張飛是蜀國的將軍。

五　　1 X　2 X　3 ✓　4 没　5 ✓

六　　1 《三國演義》是小説，《三國志》是歷史書，《三國演義》參考了《三國志》中的歷史綫索和背景資料。書中寫的三國是魏、蜀、吳。
　　　2 諸葛亮的姓是諸葛。他的名字在中國民間成爲"聰明"的代稱。
　　　3 元末明初，是一個充滿民族矛盾和階級矛盾的年代。元朝蒙古貴族的殘酷統治，農民無法生活、走投無路，只有紛紛起義。
　　　4 《三國演義》在國外被稱之爲"一部真正具有豐富人民性的傑作"。

第九單元 短文二

一　輝煌、浪漫、豪放、婉約、
　　殘酷、急劇、陷入、枯藤、
　　夕陽、瘦馬、豌豆、無賴、
　　誣陷、冤屈、斬刑、悲憤、
　　悲慘、奠定、譜寫、遭遇

二　浪漫——現實　　　　婉約——豪放　　　　緩慢——急劇
　　上升——下降　　　　低谷——頂峰　　　　陌生——熟悉

三　opera: 歌劇　　　drama: 戲劇　　　modern drama: 話劇
　　tragedy: 悲劇　　comedy: 喜劇　　ballet: 芭蕾
　　theatre: 劇院　　composer: 作曲家　stage: 舞臺

四　1 無賴把一個窮苦弱女子——竇娥誣陷了，官府又把她判了斬刑。
　　2 人們把豪放派詞人蘇東坡和婉約派詞人李清照稱作宋詞的頂峰。

五　略

六　1 對，因爲：讀書人的地位急劇下降，以至到了七匠、八娼、九儒、十丐
　　的地步了。
　　2 錯，因爲：是前人看不起民間文學，到元朝反而大大地發展起來了。
　　3 對，因爲：雜劇是元代的歌劇。
　　4 對，因爲：關漢卿自稱"我是個蒸不爛、煮不熟、捶不扁、炒不爆、響
　　當當一粒銅豌豆"。
　　5 錯，因爲：《竇娥冤》只是他雜劇創作的代表。
　　6 對，因爲：元雜劇奠定了中國戲曲藝術的基礎，標志着中國戲劇走向成熟。

七　1 唐詩、現實主義、杜甫　　　2 宋詞、豪放派、蘇東坡
　　3 唐詩、浪漫主義、李白　　　4 宋詞、婉約派、李清照
　　5 元散曲、馬致遠；　　　　　6 元雜劇、關漢卿

第九單元　短文三

一　　文豪／豪放　　　傑作／傑出　　　跌入／跌倒　　　品嘗／嘗試
　　　心態／姿態　　　逝世／流逝　　　國戚／親戚　　　巫師／巫術
　　　小販／販賣　　　一枚／枚舉　　　衰弱／衰老　　　舞姿／姿勢
　　　風俗／習俗　　　連綿／纏綿　　　圍繞／宮闈　　　塑造／塑料

二　　1 文豪 2 尼姑 3 才子 4 道學家 5 巫師 6 工匠 7 小販 8 經學家

三　　1C　　2E　　3B　　4F　　5G

四　　1D　　2D　　3C

五　　賈寶玉尊重個性；　林黛玉多愁善感；　薛寶釵八面玲瓏；　王熙鳳能干、
　　　狠毒；賈母（娘家姓史）享受生活

第十單元 短文一

一 租地/房租 阻止/阻攔 斑斕/斑馬 班級/班車
步伐/伐樹 代表/朝代 幸福/祝福 輻射/輻條

二 五彩繽紛：multicoloured
千辛萬苦：innumerable trials and hardships
安度晚年：relaxed in one's late years
相繼問世：come out one after another
保健食品：health food
野生資源：wild resource

三 1 小麥的顏色不是白色或者黃色的嗎？
2 爲了租借土地做雜交育種試驗，他用完了自己多年的積蓄。
3 彩色小麥不僅好看，更重要的是還具有很高的營養保健價值呢！

四 1C 2E 3D 4F 5G

五 1 周中普用遠緣雜交的方法培育出了彩色小麥。
2 彩色小麥的種子上天去接受太空綜合射綫輻射。
3 新一代的彩色小麥種子具有抗蟲性、豐產性、優質性、保健性。
4 彩色小麥的種植和推廣，可以讓農民增加收入；利用彩色小麥含有人類
需要的多種營養，可以開發保健食品的市場，進而改善人民的生活質量。

六 1 而立 2 不惑 3 知天命 4 花甲 5 古稀

第十單元 短文二

一　焕然、青睞、羡慕、聘禮、繁殖、摩擦、挑戰、瀟灑、體魄

二
雄——雌	白眼——青睞	短暫——漫長
恨——愛	吝嗇——大方	單一——豐富
頭——尾	矮小——高大	普通——特別
軟——硬	乾燥——潮濕	便宜——珍貴

三　傳宗接代 continue the family line　　瀟灑飄逸 casual and elegant
焕然一新 completely renovated

四　1 瀟灑飄逸　　　　2 傳宗接代　　　　3 焕然一新

五　1 When animals come of age, regardless of whether they are insects, fish, birds or beasts, the males are all very handsome.
2 Some species are especially generous, giving nutritious dead animal parts or insect pieces to their mates; some species are very miserly, they only give their sweethearts a little bit of saliva; some don't have any betrothal gifts at all.

六　1 錯，因爲：只有"雄的都一個個長得特別漂亮"。
2 對，因爲：雄孔雀在交配前，全身的羽毛會焕然一新，繞着雌孔雀，展開它五彩繽紛的翅膀和尾巴，以求得對方的青睞。
3 錯，因爲雄鹿還可以"把角變成戰鬥的武器"、"威風地出來向其它雄鹿作戰。"
4 錯，因爲有些動物什麼聘禮也不給。

七　1 隆頭魚眼睛的後方會伸出5、6條天藍色的條紋，背部前端會長出一個閃閃發亮的藍點，向對偶傳遞愛的信息。
2 雄鹿頭上的嫩角是珍貴的補品、變硬的犄角是戰鬥的武器、還可以向雌鹿表示愛。
3 雄獅那一頭瀟灑飄逸的長髮告訴我們什麼是魅力，那高大威武的體魄告訴我們什麼叫雄壯。

第十單元 短文三

一　脊髓／隧道、血型／形狀、　救濟／擁擠　、　年份／時分、　排列／例句、
　提供／拱手

二　ability: 能力　　　　　　motivation: 動力　　　　　waterpower: 水力
　electric power: 電力　　　wind power: 風力　　　　writer: 作者
　scholar: 學者　　　　　　volunteer: 志願者　　　　journalist: 記者
　sufferer: 患者

三　4萬人左右：around forty thousand people　　　5成：50%
　28萬多：over two hundred and eighty thousand　　2/3：two thirds
　約400人：approximately four hundred people　　13億：1.3 billion
　50%：fifty percent　　　　　　　　　　　　　近半：nearly half

四　1B　　2C　　3B　　4C　　5 D

五　1B　　2A　　3C

六　1 建立骨髓庫或骨髓細胞中心，讓白血病患者有了再生的機會和可能。
　2 捐獻造血乾細胞不會影響自己身體的健康，因爲造血乾細胞有自我更
　新、發育和再生的能力，對捐獻者的身體没有損害。

第十一單元 短文一

一 鹽鹵、傳播、吝嗇、媳婦、
匆忙、豆漿、鍋子、爐竈、
壇子、蓋子、凝固、酸水、
勉強、細嫩、容貌、酥爛、
禦用、蒸鍋、激素、鈣片、
血壓、血脂、素食、青睞

二 fat: 脂肪   oestrogens: 雌激素

cholesterol: 血脂   blood pressure: 血壓

heart disease: 心臟病   menopause: 更年期

carbohydrate: 碳水化合物   anti-aging: 抗衰老

calcium: 鈣

三 酸：sour   甜：sweet   苦：bitter

辣：hot   咸：salty   泡菜：pickle

四 1 There are a lot of different sayings regarding the origin of Tofu.

2 There was a mother-in-law who was very mean to her daughter-in-law，she didn't even let her drink soya milk.

五 can see: 看得到   cannot see: 看不到

conceivable: 想得到   inconceivable: 想不到

can finish (the job): 做得完   cannot finish (the job): 做不完

can walk on: 走得動   cannot walk (any more): 走不動

think highly of: 看得起   look down upon: 看不起

六 1 在豆漿裏添加了鹽鹵或酸水可以變成豆腐。

2 常吃豆腐可抗衰老、減輕婦女更年期；可降血壓，也適合高血脂、心臟病患者及想瘦身的人食用。

七 咸菜煮豆腐——不用多言（鹽）

小葱拌豆腐——一清二白

快刀切豆腐——不費勁，兩面光

馬尾兒串豆腐——提不起

豆腐掉進灰堆裏——拍不得打不得

鹵水點豆腐———一物降一物

八 1 （西施）春秋戰國；（王昭君）西漢；（貂嬋）東漢；（楊貴妃）唐

2 略

第十一單元 短文二

一　to cook: 燒　to boil: 煮　　to roast: 烤　　to stir-fry: 炒
　　to stew: 炖　to steam: 蒸　　to deep-fry: 炸　to fry: 煎

二　鍋：pot; pan　　盤：plate　筷：chopsticks　叉：fork
　　碗：bowl　　　碟：dish　　刀：knife　　　匙：spoon

三　反對——支持　　瘦——胖　　豐富——單調
　　拮據——富裕　　俗——雅　　少量——大量
　　便宜——昂貴　　酥——硬　　美味——乏味

四　吟誦（詩詞）　　煮（鷄蛋）　　　支持（改革）
　　發明（火藥）　　炖（肉湯）　　　反對（戰争）
　　介紹（元曲）　　切（青菜）　　　欣賞（月亮）

五　1D　　2D

六　1✓　　2X　　3X　　4沒　　5X

211

第十一單元 短文三

一　調味(tiáowèi)　　各種(gèzhǒng)　　積纍(jīlěi)　　大小(dàxiǎo)
　　時間(shíjiān)　　宴會(yànhuì)　　調查(diàochá)　　種植(zhòngzhí)
　　勞纍(láolèi)　　大夫(dàifu)　　間隔(jiàngé)　　會計(kuàijì)
　　好客(hàokè)　　量杯(liángbēi)　　要求(yāoqiú)　　方便(fāngbiàn)
　　混吃(húnchī)　　差異(chāyì)　　你好(nǐhǎo)　　重量(zhòngliàng)
　　需要(xūyào)　　便宜(piányi)　　混合(hùnhé)　　很差(hěnchà)

二　一（桌）人　　　一（碗）米飯　　一（塊）肉　　　一（雙）筷子
　　一（盆）魚　　　一（個）書架　　一（粒）豆　　　一（瓶）調料
　　一（道）菜　　　一（把）叉子　　一（勺）湯　　　一（盤）水果

三　C　　1 向來、2 擺着、3 用

四　social service: 社會服務　　　　　Western philosophy: 西方哲學
　　service quality: 服務質量　　　　philosophy of life: 生活哲學
　　technical service: 技術服務　　　philosophy of Taoism: 道教哲學
　　laboratory experiment: 實驗室實驗　parliamentary groups: 議會黨團
　　chemical experiment: 化學實驗　　blood groups: 血型
　　physics experiment: 物理實驗　　study in groups: 小組學習

五　1 中餐追求飯菜的色、香、味俱全，靠經驗烹調出美味，有很大的隨意
　　性。西餐堅持飯菜的實用性，從營養角度出發，很多蔬菜就生吃。烹調時添
　　加多少調料，是用"克"來計算，烹飪時間以分、秒要求，可見其精確性。
　　2 中國人主要用碗筷、西方人主要用刀叉。西方使用餐具用時先後有序。
　　中國人用筷子隨意夾取，方便自如。
　　3 西方采用分餐制。各選各自的菜，人各一盤各吃各的，各自隨意添加調
　　料，由此可看出對個性的尊重；中餐則一桌人團團圍坐，各色菜肴放中間，
　　大家分享，體現出群體觀念。西方人是一道菜吃完後再吃第二道菜，前後兩
　　道菜絕不混吃；中國人滿滿一桌子的菜，隨你東盆夾一筷，西碗舀一勺。兩
　　者之　間有着中西文化中"分別"與"和合"的差異。
　　4 中國人請客菜多得吃不完，還要說"真對不起，沒什麼招待你"，是熱
　　情好客的表現。

第十二單元 短文一

一　　1 王教（授）深（受）學生們的愛戴。
　　　2 這個化學（實）驗（試）驗了無數遍。
　　　3 老婆婆心（裏）整天悶悶不樂，需要去看心（理）醫生。
　　　4 （豪）放的北方人（毫）不在意自己説了什麼。

二　　一（身）冷汗　　　兩（座）小橋　　　五（層/張）電網
　　　三（盞）燈籠　　　四（條）鱷魚　　　六（把）雨傘
　　　七（頂）草帽　　　八（個）試驗　　　九（位）鄰居

三　　每況愈下(měikuàngyùxià)——日益好轉(rìyìhǎozhuǎn)
　　　笑容滿面(xiàoróngmǎnmiàn)——愁容滿面(chóuróngmǎnmiàn)
　　　彎曲狹窄(wānqūxiázhǎi)——筆直寬闊(bǐzhíkuānkuò)

四　　彎彎曲曲　　改變改變　　盞盞
　　　嘮嘮叨叨　　鼓勵鼓勵　　聽聽
　　　朦朦朧朧　　思考思考　　説説
　　　清清楚楚　　嘗試嘗試　　層層
　　　結結實實　　誘導誘導　　笑笑

五　　所有的燈: all the light　　　　　整天憂愁: depressed all day long
　　　個個鄰居: every neighbour　　　全部的傘: all the umbrellas
　　　一些朋友: some friends　　　　　幾條鱷魚: some crocodiles

六　　1 教授這時打開所有的燈，大家發現，在橋和鱷魚之間還有一層網。
　　　2 只有讓我們的心裏充滿陽光，我們的生活才會充滿陽光。

七　　一溜烟　　running fast　　倒胃口　　get tired of someone or something
　　　出冷汗　　terrified　　　　好容易　　with great difficulty
　　　咋辦　　　how to do

八　　1 好容易　　2 出冷汗　　3 倒胃口　　4 一溜烟　　5 咋辦

九　　1X　　2✓　　3X　　4✓　　5X　　6✓

第十二單元 短文二

一   散花、端茶、賺錢、撞車、賠禮、等車、洗澡、掃地、賭場、駕駛飛機、
貼補生活、警告敵人

二   義正詞嚴(yìzhèngcíyán)   辭窮理屈(cíqiónglǐqū)
微薄(wēibó)   豐厚(fēnghòu)
一視同仁(yīshìtóngrén)   另眼相看(lìngyǎnxiāngkàn)
火爆(huǒbào)   冷清(lěngqīng)
褒義詞(bāoyìcí)   貶義詞(biǎnyìcí)
答應(dāying)   拒絕(jùjué)

三   spend effort in vain：白費勁   have a free meal：白吃
has done some thing without pay：白做

四   財大氣粗   一視同仁   天女散花   過江之鯽

五   1 比喻：去國外留學的各類中國學生如過江之鯽。誰想出國留學，先得像天
女散花般地發信申請獎學金，如果有人能申請到一點微薄的生活費，那簡
直就像中了六合彩一樣。
2 感嘆：財大氣粗到了怎樣的地步！
3 反問：難道你不怕把人撞死?

六

	20年前的多數中國留學生	當今的某些中國留學生
出國留學的途徑	申請獎學金	自費
去餐館的目的	打工貼補生活	吃飯
業余生活的安排	打工、學習	吃喝玩樂
你對新舊留學生的看法	略	

第十二單元 短文三

一　淵博、魅力、新穎、贏球、畢業、文憑、
　　聯邦、明智、平庸、淘汰、虛名、葬送

二　1B　　2F　　3E　　4A　　5C　　6D

三　1 設問　　　2 排比、比喻　　　3 引用

四　C

五　1 很多中國家長因爲一家只有一個孩子，所以他們特別渴望子女成龍成鳳。
　　2 人人有才，人無全才；揚長避短，人人成才。

六　1 儒家"學而優則仕"的傳統思想，與當今急功近利的社會風氣相結合，使得
　　中國人的"名校情結"特別强烈。
　　2 不。很多歷史偉人、學者名流並非畢業於名牌大學；有些人甚至從未進
　　過大學門，一樣成爲世界級大師；愛迪生只有小學三年級的學歷，華羅庚
　　只有初中文憑，愛因斯坦在報考蘇黎世聯邦工業大學工程系時沒有通過考
　　試等等。

參考答案

專題指導一
中文翻譯成英文

二 1 連接下面意思相同的中、英文詞語

總算	after all	當然	of course/certainly
簡直	simply	也許	probably/perhaps
幾乎	almost	顯然	obviously
甚至	even/go so far as	幸虧	fortunately
竟然	unexpectedly	經常	often
左右	about	已經	already
偏偏	contrary to what was，expected/unfortunately		

2 參考翻譯練習的詞語，把下列句子翻譯成英語

1) It was obvious uncle didn't believe his daughter had been accepted by University of London，he even asked over and over again.

2) Because aunty is around 80 years old，she often forgets where the keys are.

3) When the students were just about to set off to attend a barbecue，it unfortunately started to rain.

4) This English girl，aside from being able to speak French and German，can even speak very beautiful Mandarin.

5) Luckily I was not late，as it was already today's last train.

6) The British classmates simply could not believe it，Lili almost didn't recognise a single Chinese character.

7) Xiaotian，who is from Germany，finally got married;，obviously her parents were very happy.

8) After Liu Jie graduates from Cambridge，she will perhaps return to America to become a teacher.

3 請完成上面2001年AS 試卷中的翻譯題

A'Mao is now 5 months old. When you tickle her chin with your finger or pull faces at her，she will open her toothless mouth and chuckle. Run'er has just turned three years old; he is a chubby little fellow with short dumpy legs and is adorable when he toddles along. Sometimes he imitates me, putting his hands behind his back and waddling; that is something that he and we all enjoy. His elder sister is ACai; she is already seven years old and is studying at primary school. At the dinner table, regardless of whether you like to listen or not, she will invariably tell you stories of her classmates. She always asks me after she is finished, "Daddy, did you know that?" My wife often does not allow her to talk when having meals, that is why she always asks me.

"Edexcel Ltd. accepts no responsibility whatsoever for the accuracy or method of working in the answers given".

4 請將下面的中文短文翻譯成英文

As more and more Chinese students study abroad, Britain's universities, high schools and primary schools, now all have clever, diligent and hardworking Chinese overseas students.

In the classroom, the relationship between British teachers and their students are equal. Most British teachers do not dictate an entire lesson on their own; the teacher will often have discussions with the students, sometimes even debating. As long as you are improving a little, the teacher will be very happy to praise you. This can boost the students' confidence.

Historically, Britain has 80 Nobel Prize winners. Everyone considers the standard of British education to be among the highest in the world, so it is not surprising that at the moment there are more than eight hundred thousand international students in Britain.

參考答案

專題指導四
英譯漢

二　1 中國的城市化進程比世界上的任何地方都快。

　　2 中國的環境污染比西方嚴重得多。

　　3 上海的公寓跟北京的一樣貴。

　　4 美國的歷史沒有中國的長。

　　5 有的城市甚至連他們自己本地的文化傳統也不在乎。

　　6 關於中國南方的土城堡我一點兒也沒聽説過。

　　7 除了現代化以外，一個城市還應該有自己的個性。

　　8 無論經濟發展的有多快，我們都要注意環境問題。

　　9 每個民族都要很好地保持各自獨特的傳統，否則我們的世界很快會不再豐富多彩。

　　10 只有在無法避免的情況下才可以推倒這幢老房子。

　　11 只要你提到這座四合院，每個人就都知道了。

　　12 當中國經濟飛速發展的時候，貧富之間的差距也正在日益擴大。

　　13 四合院被越來越多的人所喜愛。

　　14 機場職工把這塊地方打掃了好幾遍。

　　15 我們應該以普通百姓的利益爲重。

三　八隻小鴨子出生才一個星期，鴨媽媽就不小心讓它們掉進下水道裏不見了。鴨媽媽身體大，可以跨過有縫的蓋子，可跟在後面的小鴨子就沒那麼幸運，而是接二連三地掉進下水道裏了。救援隊花了四個小時才把八隻小鴨子都救上來。當路過的行人聽到小鴨子呱呱的叫聲，又看見鴨媽媽絕望地往下水道裏看以後，皇家保護動物協會救援隊到達現場。人群焦慮地看着員工們打開蓋子，努力把小鴨子提上來。終於，它們全部都被送回到鴨媽媽身邊，没有受傷。一位員工説，"有這麼快樂的結局，我很高興。"

四　　　我在倫敦大學聽到這么一個故事。一位記者問三位分別來自美國、英國和中國的學生："對於國際糧食短缺的問題，你個人的意見是什么？"那位美國學生回答："'國際'的意思是什麼？"那位英國學生問："什麼是糧食短缺？"而那位中國學生問："你説的'個人的意見'是什麼意思？"

　　　直到二十世紀八十年代，中國一直閉關自守。我們不習慣有自己"個人"的意見。但是我們知道很多西方人不知道的東西。這就是爲什麼越來越多的中國學生喜歡出國留學，和來自世界各地的學生分享大家的不同。